No coração do Comando

Julio Ludemir

No coração do Comando

Editora Record
RIO DE JANEIRO • SÃO PAULO
2002

CIP-Brasil. Catalogação-na-fonte
Sindicato Nacional dos Editores de Livros, RJ.

L975n Ludemir, Julio
No coração do comando / Julio Ludemir. – Rio de
Janeiro: Record, 2002.
192p.

ISBN 85-01-06357-6

1. Romance brasileiro. I. Título.

02-0213
CDD – 869.93
CDU – 869.0(81)-3

Copyright © Julio Ludemir, 2002

Direitos exclusivos desta edição reservados pela
DISTRIBUIDORA RECORD DE SERVIÇOS DE IMPRENSA S.A.
Rua Argentina 171 – Rio de Janeiro, RJ – 20921-380 – Tel.: 2585-2000

Impresso no Brasil

ISBN 85-01-06357-6

PEDIDOS PELO REEMBOLSO POSTAL
Caixa Postal 23.052
Rio de Janeiro, RJ – 20922-970

EDITORA AFILIADA

Para Juliana Ludmer, a minha Dunana, porto seguro no qual me refugiei todas as vezes em que a vida e suas infalíveis matemáticas me provaram que tudo estava perdido.

Para Andréa Lemos Xavier, a Bonita, com quem vivi a paixão de dores lancinantes que tornou inevitável esses transbordamentos.

Para Marcelo Freixo, Guilherme Fiúza e, é óbvio, Cristiane Ramalho.

CAPÍTULO 1

Valéria Ribeiro puxou toda a sua cadeia assim: revoltada, trocando porrada com os SOEs, aqueles carcereiros filhos da puta que ainda por cima tentavam comer as minas; ou dormindo chapada de Diazepan, acordando só para o confere. Mas de vez em quando ela ficava de bem com a vida e ia jogar vôlei no pátio, um dos seus poucos prazeres. O jogo era bom porque ela podia soltar a mão, gritar com as suas companheiras, mandar todo mundo tomar naquele lugar sem que ninguém achasse que estava sendo esculachado, coisas de jogo. Pintava e bordava e ninguém reclamava dela. Pelo contrário. Quanto mais soltava a sua ira, mais o seu jogo era aplaudido. Se aqueles caras do SOE não fossem tão escrotos, conseguiria desabafar com as cortadas que dava na bola todo o ódio que vinha se acumulando no peito desde o dia em que Deus lhe roubara o pai, quando tinha apenas 15 anos. O pai foi a única pessoa de bem que conheceu nesse mundo. O resto era tudo bandido ou polícia. Não sabia que raça era a pior.

Naquele dia ela acordou bem. Bem até demais. Talvez por causa da gozada que dera na cara de Luciana, que passou a noite inteira fazendo carinho nos lugares em que os SOEs tinham lhe batido. Língua maravilhosa, a daquele sapatão. Mais parecia um pau, de tão roliça. Não tinha dado nada por ela quando se aproximou, perguntando se não podia lhe fazer uma massagem, coitada, você deve de tá toda moída. E estava mesmo. Na verdade mais por dentro do que por fora. Pois mais parece que cada bicudo daquele que os SOEs davam batia não na perna ou na barriga, mas aqui, bem aqui, oh, no coração. O sapatão não sabia disso, mas cada carinho que ela ia fazendo parece que não era na barriga ou no biquinho do peito ou na barata, mas aqui, bem aqui, oh, no coração. Por isso foi deixando que ela explorasse seu corpo com aquelas mãos ágeis. Até que ela a despiu e a penetrou primeiro com um dedo, depois com dois, a mão inteira, ai.

Era a primeira vez que jogava ali no Nelson Hungria, cadeia feminina do complexo da Frei Caneca. Tinha sido transferida pra lá há menos de uma semana, depois que respondeu a uma cantada do diretor do Talavera Bruce com um socão na cara daquele filho da puta. Que viado, não sabia que a dela não é essa, que tem ódio de presa que se mete com polícia? Mas polícia tá sempre confundindo as coisas. Não pode ver um bandido roubando que vai lá se meter na parada. E não pra enquadrar o bandido, que é a sua responsa. Mas pra levar o dele. A mesma coisa é na cadeia. Os SOEs estão sempre entrando no caminho das bandidas. Tudo quer comer as minas. Mas o pior é que as minas vão. Tem até mulher de chefão lá de Bangu que fode com os caras. E o ódio maior de Valéria é com elas. Se polícia não sabe que bandido é uma coisa e polícia é uma outra, bom, isso é problema deles. Mas bandido tem que saber não misturar alho com caralho. Ou então não é bandido coisa nenhuma.

Depois que soltou a mão na cara do diretor, os SOEs vieram tudo em cima e ela, além de tomar porrada até dizer chega, além de pegar bem uns 15 dias na tranca, além de toda essa meleca os caras resolveram fechar a sua cadeia, mandando-a do paraíso do Talavera Bruce para o inferno do Nelson Hungria. E era por isso que estava ali. Pegando aquela bola pertinho do Setor B, a cadeia dos homens do Comando Vermelho. Baixou a cabeça e deixou os cabelões cobrirem o rosto. Sabia que a macharia estava toda pendurada nas grades, olhando as mulheres no vôlei. Seu coração bateu forte enquanto eles assoviavam e soltavam piadinha idiota. Depois de oito anos só com as rachas lá em Bangu, sentiu um nervoso à medida que caminhava. Homem pra ela era tudo SOE, essa cambada de filhos da puta. Preferia se esfregar com uma mulher.

— Ei, morena dos cabelos de henê — disse um cara lá de cima.

Valéria ficou pau da vida — cabelos de henê uma ova, pensou. Não quer vir aqui puxar, não?, teve vontade de perguntar. Mas seguiu seu passo. Direto e reto.

— Tu me arruma um cacho desses cabelos? — insistiu o cara.

Valéria sabia muito bem que aquela voz era do Pato Rouco, o terror das minas do Nelson Hungria, com bem umas seis correspondentes. Como qualquer mulher que passa anos longe da convivência com homens, estudara os caras do Milton

Dias Moreira de lá do seu alojamento, reparando no sorriso de um, nas pernas daquele outro, até mesmo nas coisas de um terceiro. Os caras estavam tão pertinho que dava para sentir o cheiro deles, os bandidos do cu vermelho. E vira com um interesse particular o tal do Pato Rouco, um negro atarracado que parecia esculpido por Deus tal e qual sempre desejara — ela que, para desgosto da sua família, sempre gostara de um pretinho. Foi assim com o pai de suas três filhas, aquelas lindinhas, razão de sua vida bandida. O mesmo acontecera com Jiló, aquele cu vermelho, o vacilão por causa do qual estava ali, ouvindo as cantadas idiotas do Pato Rouco.

— Ei, morena, você não se incomodaria de tirar a calcinha que está usando e dar pra mim? — continuou ele.

Depois de todos aqueles anos vivendo só com mulheres, tinha ficado destreinada com os homens. Mas era uma velha cadeeira e sabia que, na peculiar língua falada dentro dos presídios, estava sendo pedida em noivado. E depois de tudo o que passara porque Jiló não tivera coragem de agir como um bandido, ela é que não ia se meter mais com nenhum outro em sua vida. Aprendeu muita coisa nos oito anos da sua cadeia de 18 anos. Uma delas é que a vida do crime não é creme. A prisão estava cheia de histórias como a sua, que chegou ali porque Jiló, aquele otário, não teve coragem de detonar todas as possíveis testemunhas do assassinato da ex-mulher do Paulinho, o matuto do seu tio, Adílson Balbino, um dos líderes históricos do Terceiro Comando. Dizendo assim, parece que Valéria é uma espécie de vampiro, que só fica satisfeita depois que se alimenta do sangue alheio. Mas não é nada disso. Está é pensando tão-somente do ponto de vista do crime, dessa vida

NO CORAÇÃO DO COMANDO

para a qual não quer mais voltar. E para quem está nessa vida bandida, não fazia o menor sentido ter peninha das filhas e da amiga da mulher do Paulinho, que tinha chegado para o seu tio Balbino dizendo que precisava cobrar uma traição. Queimar arquivos, atender ao pedido de um matuto, tudo isso faz parte da marginalidade. São coisas inerentes a ela. Era por isso que não ia querer nada com o Pato Rouco. Nem com ele nem com nenhum outro cu vermelho.

— Ainda tá pra nascer o bandido que vai ganhar alguma coisa de mim — disse ela, com seu inconfundível vozeirão.

Pegou enfim a bola e voltou para a quadra. Quando sacou, foi com violência que soltou a mão. Era como se estivesse batendo na cara do Jiló, que se tivesse apertado o dedo para apagar aquelas duas meninas chatas e aquela mulher toda metida só porque era amante de um delegado, se fosse capaz de honrar sua palavra de bandido, ela a essa hora não estaria ali, ouvindo as cantadas idiotas do Pato Rouco, o Marquinho Neguinho, o Marco de Niterói, o Marcelinho, o vulgo que seja que ele usasse para que as minas não pensassem que era o mesmo cara que estava se correspondendo com a sicraninha do cubículo ao lado. Mas ela não conseguia resistir a um negão e se apaixonara por aquele ladrãozinho quebra-peças, que nem trabalhar com arma sabia quando se conheceram, no começo da década de 1990. Era um comédia naquela época, ficava morrendo de inveja dela, que balançava no 157, era o terror das lojas, onde pelo menos uma vez a cada 15 dias entrava enquadrando os otários, perdeu, meu irmão, vai passando tudo aí. Jiló vivia entrando no seu caminho, querendo que ficasse em casa enquanto dava suas tungadas na rua, arrancando brinco da orelha das madamas, arriscando o pescoço por merrecas. Valéria ganhava em apenas um dia o que ele descolava em praticamente um mês, mas o vacilão era bonito como o quê, tinha borogodó. E foi por causa desse maldito borogodó, do mesmo borogodó que o Marquinho tem, que ela estava ali. Levando porrada dos SOEs porque não agüentava tanta revolta dentro de si.

— Que bolona, Valéria — gritaram as minas ao ver seu saque cair na quadra adversária.

CAPÍTULO 2

— Mulheres, cheguei — gritou o Pato Rouco penduran-do-se nas grades que davam para o Nelson Hungria, o presídio das minas.

As mulheres vaiaram, como sempre. Mas elas gostavam. E muito, ele sabia. Se não gostassem, não dariam tanto mole para o Marquinho aqui, né não, chefia? É verdade que custavam os olhos da cara, mas mulher é tudo assim mesmo, seja madama ou bandida. E era por essa razão que passava as noites arriando jogo dentro da cadeia, esvaziando o bolso dos chefões do Comando Vermelho, que para ele vai ser sempre Falange, a facção que aprendeu a admirar e da qual muito se valeu na época da Ilha Grande, onde começaram a sua cadeia e a história do crime organizado no Rio de Janeiro. Arriava jogo para ter o que gastar com elas no momento em que bem quisesse e entendesse.

— Neguinho, tua bunda não tá doendo não? — gritou uma mulher de lá do outro lado do pátio, cuja voz ele não conseguiu reconhecer no meio das risadas masculinas e femininas que se seguiram à brincadeira.

Ele riu sem graça. Sempre fora o tal com as mulheres, cujos corações se acostumara a conquistar e tripudiar desde que tinha apenas 14 anos, quando se casou pela primeira vez. E as minas não iam perder a oportunidade de tirar um sarro com a sua cara depois do sai pra lá que levou de Valéria na manhã anterior. Mas ele se vingaria no dia em que conquistasse aquela danada, cujo fora estava ecoando na sua cabeça como se tivesse levado um telefone de um desipe. Sabia que ela seria sua, como muitas ali já foram e muitas outras pretendiam sê-lo. Podia, quando muito, demorar um pouco mais do que as outras. Mas ele era o Pato Rouco. O maior garanhão das cadeias cariocas.

— Marcelinho, não vai ficar zoando com as minas hoje não? — gritou outra voz, quando ele deu as costas e ameaçou uma retirada estratégica.

Ele suspirou, fulo da vida. Mas conhecia bem as regras da cadeia, razão para estar vivo depois de todos esses anos, ao longo dos quais vira muitos vacilões caindo que nem um saco de batatas, cheio de estocadas no corpo. E uma dessas regras era ter espírito esportivo, saber aturar as brincadeiras que os outros faziam com a gente. É verdade que muita gente confunde brincadeira com esculacho, do mesmo modo como alguns não percebem a diferença entre ser sério e ser marrento. São os chamados comédias, que, quando pagam mico, recebem o troco na moeda mais conhecida da cadeia, principalmente uma cadeia de Comando. É a famosa lei do cão.

— Não é você que ganha a mina que bem quer e entende? — disse o Coroa do Arará, que na época era gerente do morro do Arará e uma de suas principais ligações com a cúpula do Comando.

O pessoal, principalmente as minas, ria de se esbaldar. Teve vontade de protestar, dizendo que ri melhor quem ri por último. Mas decidiu não fazer farofa. Esse era o tipo de situação em que nada teria a perder ficando calado. Não era como, por exemplo, no dia em que um sujeito mandou ele dar um tempo. Isso foi em meados da década de 1970, no comecinho de sua cadeia. Sabia que, se não devolvesse o esculacho, ninguém mais o respeitaria dentro do coletivo, e até risco de ser enrabado correria. E isso nunca. Era melhor pegar uma tranca de bem uns 30 dias ou mesmo ser transferido para a Ilha Grande, como de fato terminou acontecendo depois que se escondeu por trás de uma porta e aguardou o cara passar com uma moca, sentando-a na cabeça dele quando passou.

— Ainda tá pra nascer o bandido que vai ganhar alguma coisa de mim — disse alguém, imitando a voz de Valéria.

Muitas vezes perguntaram-lhe como conseguira sobreviver esse tempo todo, mais de vinte anos de matança e judaria dentro dos presídios e ele inteirinho da silva, cheio de amor pra dar pras minas do Nelson Hungria. A indagação se tornava manifestação da mais pura incredulidade quando dizia que durante a maior parte de sua cadeia vivera de jogatinas, deixando muitos irmãos poderosos duros que nem coco, sem nenhuma peça de ouro brilhando no corpo. Mas ele sempre foi esperto, levava sua vida com a mesma habilidade com que driblava os zagueirões nas peladas do presídio, metendo a bola de um lado e passando pelo outro. Cadeia é um lugar de muitas mortes, mas na grande maioria das vezes os estoques só procuram os vacilões. Há de ter vida longa quem souber andar direto e reto. No blindão, como gostava de dizer. Existe um velho ditado na cadeia, que ele aprendeu assim que chegou no Edgar Costa depois de um dia rodando de um lado para o outro dentro de um camburão, já que o sistema penitenciário não podia aceitá-lo antes que fizesse 18 anos. E esse ditado é mais ou menos assim: "Cadeia é um lugar onde se fala pouco e se sabe de tudo." Tentou segui-lo como um lema nesses últimos trinta anos. Exceto, é claro, quando o assunto em questão é futebol e mulher. Principalmente mulher. Ou mulheres, melhor dizendo, já que jamais conseguiu se satisfazer com uma. Ou duas. Ou mesmo três. Porque mulher é que nem pó. Você começa cheirando, achando que vai se dar por contente só com um tequinho. E quando dá por si, já se passaram três noites e a fissura continua, você querendo sempre mais.

Mas agora ele só queria Valéria, a morena dos cabelos de henê que chegara há coisa de uma semana no Nelson Hungria. Que pena que lhe tomaram o morro, pois se continuasse um chefão do pó ficaria muito mais fácil deixá-la de quatro, caidinha por ele. Com o baralho até que dava para descolar uns bons trocados, com os quais podia comprar essas coisas que mulher precisa e gosta, como xampu, perfumes, absorventes e principalmente cigarros, que são as mais importantes mercadorias dentro de uma cadeia. Mas para ter uma Valéria na mão, precisaria de um dinheiro gordo, desses que dão para comprar uma fuga de pelo menos uma semana e passar noites

NO CORAÇÃO DO COMANDO 17

seguidas fartando-se com aquelas carnes na suíte presidencial do Champion. Depois voltava sastifeito pra cadeia. Muito do sastifeito. Como lhe tiraram o morro, teve que se virar com o que tinha à mão. Não era muita coisa, tinha que admitir. Mas elas gostavam, como se esforçou para lembrar. A Cláudia, por exemplo. A mulher era amiga de sua ex-esposa e de tanto ouvir que Marcelinho é isso, Marquinho é aquilo, resolveu fazer carteira de visita também. E na maior caradura mandou, bem na lata da Miriam, que também ia querer parlatório com o Pato Rouco. Miriam disse que tudo bem, é com vocês mesmo. Marquinho não acreditou no que estava ouvindo, principalmente quando Cláudia esclareceu que queria parlatório naquele momento mesmo, que a Miriam a perdoasse e tudo o mais, mas não estava agüentando de tanto tesão. O Neguinho não falou nada, apenas cumpriu o seu papel de homem, que é o de não rejeitar uma mulher caindo do céu bem em cima do seu pau, se é que dá para perdoar os maus modos de falar, chefia.

É por essas e outras que Marquinho entende a importância das regras do Comando Vermelho e as segue direitinho, como se tivessem sido escritas por Deus na Bíblia. Pois esse negócio que a Cláudia fez daria em mortes se fosse feito por um homem dentro de uma cadeia de Comando. Melhor dizendo, muita gente amanheceu pendurada na corda por muito menos do que isso. Não foi nem um nem dois que foram enforcados só porque mareou a visita dos outros. Teve que explicar pra boba da Cláudia que marear é botar olho gordo, desejar à distância. Mas a resposta que ela mandou na sua lata fez com que ganhasse não só o seu respeito, como a condição de visita: "depois do que tu acabou de fazer comigo no parlatório, eu morria sastifeita da vida". Marquinho se sentiu o melhor dos homens com uma declaração dessas, mas ele mesmo é que não perderia a oportunidade de gozar a vida (no duplo sentido da palavra, chefia) só por causa de uma mulher. Mas ela não queria ser um exemplo a ser seguido por Marquinho. "Só quero que você me coma assim em todas as visitas que te fizer", disse ela olhando para os chupões que ele deixara em seu corpo e depois se vestindo. Disposta como poucas mulheres que viu na vida, a danada da Cláudia passou quase um mês clandestina dentro do seu cubículo. Trepando até não poder mais.

Valéria tinha que conhecê-lo na cama, pensou. Depois disso, ele se garantia. O problema era quebrar as barreiras iniciais. Era como numa partida de futebol em que o time adversário joga na retranca, todo fechadinho. Só existe uma maneira de furar o cerco, que é partindo pra dentro. Com isso, a gente corre o risco de tomar bolas nas costas e levar uma goleada só na base do contra-ataque, mas estava naquela de perdido por um, perdido por dez. A mina valia a pena, tinha certeza disso.

— E aí, Neguinho, não vai tomar banho de sol hoje não? — perguntou o Banana, um caidinho que vivia basicamente de ler e escrever os toques para o Marquinho, interrompendo o seu longo silêncio.

É lógico que ia. Imagina se deixaria de bater bola, para ele sinônimo de banho de sol, só por causa de uma mulher. Principalmente porque (como não pensou nisso antes, chefia?) depois da pelada ele poderia jogar a bola em cima do telhado,

NO CORAÇÃO DO COMANDO

de onde poderia chegar à grade do Nelson Hungria. Então pediria ao funcionário para pegar a bola e, estando lá em cima, pediria para que alguém a chamasse lá dentro, caso ela não estivesse ali por perto. Partiria para o ataque com os seus melhores jogadores. Pra ganhar a partida logo nos primeiros minutos do jogo.

CAPÍTULO 3

— **F**é em Deus, chefia — disse Marquinho para o agente penitenciário, cumprimentando-o como se fosse um dos bandidos do Comando Vermelho.

— Como é que é, Marcelinho? — disse o funcionário, deixando claro o seu descontentamento com o modo como o preso se dirigiu a ele. — Tá pensando que eu sou o quê?

— Foi mal, chefia. Foi mal mesmo. Não quis faltar com respeito ao funcionaro.

— Vou fazer de conta que não ouvi, Marcelinho. Mas o que é que tá pegando?

— É que a bola caiu lá no telhado. Posso ir lá buscar?

— Olha, Marcelinho, eu sei que você tá querendo é ir conversar com as mulheres do Nelson Hungria.

— Que que isso, chefia? Pode ver que a bola tá lá.

— Eu vou confiar em você, viu, Marcelinho? Mas se você tiver de sacanagem comigo, pode ter certeza de que a tranca vai ser das boas.

— Tá tranqüilo, chefia.

Marquinho subiu no telhado e caminhou em direção ao Nelson Hungria pedindo silêncio para as minas, que ficaram em polvorosa quando o viram se aproximando. Valéria era uma delas. Seu coração ficou mais gelado que um presunto desovado no morro.

— Fé em Deus, morena — disse ele, nervoso como no primeiro dia em que botou uma arma na mão.

— Qual é, bandido? — respondeu ela, sempre ríspida. — Se tu vier com essas conversas de facção, é melhor tu voltar daí mesmo.

As minas abriram um clarão, deixando os dois a sós. Até parecia um arrastão na praia.

— Que que tu quer, bandido?

— Acho que você sabe.

— Bandido, vou ser direta e reta com tu.

Marquinho esperou o pior. Sentiu-se como se estivesse diante do juiz que o condenou. Tomaria como uma injustiça dos deuses qualquer veredicto que não fosse uma declaração de amor.

— Eu sei que tu tá se arriscando só pra falar comigo e eu nunca vou esquecer disso. Pode crer que mulher gosta disso. Eu pelo menos gosto. E é por isso que eu vou abrir meu coração com tu. Não queria não, mas como eu sei que tu vai pra tranca só pra me ver, eu vou te dar esse mole, bandido. Mas não leva a mal, não, eu desisti de homem. Tô legal aqui no meu cantinho, quero que ninguém me incomode, não. Já ouviu falar de desilusão amorosa? Pois é. É por causo de um bandido que eu tô aqui, com uma cadeia de 18 anos pra pagar. Me deixa em paz. Não insiste não que você vai se arrepender. Todo mundo que resolveu encarar esse desafio se arrependeu. As coisas comigo é tudo muito sofrido. Parece até que eu tô amarrada, só sendo coisa de macumba, uma maldição dessas que a gente vê no cinema, tá ligado? Só pra você ter uma idéia de como a barra é pesada, minha mãe morreu no parto, parece que eu já nasci pra sofrer. Pra mim sofrer e fazer os outros sofrer. Depois disso teve a morte do meu pai, que na verdade era meu tio. Meu pai mesmo eu nunca tive o desprazer de ver as fuças, era um cachaça de marca maior que peidou quando soube que ia ser pai. E o meu tio, ele morreu quando eu tinha 15 anos. Depois da morte dele, a vida nunca mais foi a mesma pra mim. Caí nessa vida bandida. Era como se eu tivesse procurando isso que tá acontecendo comigo agora, como se a vida só pudesse ter sentido pra mim se tivesse um SOE pra ficar trocando porrada comigo, esse inferno em vida que é a vida na cadeia, onde a gente só conversa com viciado, ladrão, traficante, gente doente, com tuberculose, com Aids. E agora que eu achei, não quero que ninguém se meta comigo, que eu sei que é roubada. Roubada das boas. Não é nem que eu tenha medo de morrer. Disso eu acho que não tenho medo. Morrer talvez seja até o melhor de tudo no meio desse tormento, a única maneira de encontrar um pouco de paz, o tal do descanso eterno que os crentes falam. O problema é esse sofrimento que não acaba nunca. Sofre eu e sofre todo mundo que está por perto. Destinos trágicos, tá ligado? É areia movediça. Fica fora dessa. Se não, vai ser ruim pra tu e por ser ruim pra tu vai ser ainda pior pra mim, porque eu vou me sentir culpada de ter feito você sofrer por mim. Agora cai fora, bandido. Cai fora porque eu perdi o costume de falar. Não gosto mais disso, não. Falar me cansa. A única coisa que não me cansa mais nessa vida é trocar porrada com os SOE. Tu é um SOE?

Valéria sorriu e sumiu dentro do presídio. Marquinho, sentindo-se mais analfabeto do que nunca, não entendeu patavina do que ela lhe dissera. Mas o que antes era desejo se tornou uma obsessão. Aquela mulher de fala difícil e desesperada seria sua, disso tinha certeza. Nem que essa fosse a última coisa que fizesse nesse mundo.

— Marcelinho, seu sem-vergonha — gritou o agente penitenciário atrás dele, lá na ponta do telhado. — Eu não disse que você só queria uma desculpa pra ficar de papo furado com as mulheres do Nelson Hungria? Agora pegue a bola, arrume suas coisas e diretinho pra tranca.

CAPÍTULO 4

Marquinho fez a milésima flexão e caiu no chão, exausto. Não estava acostumado a trancas, mas sabia que essa era a única maneira de matar o tempo no castigo do Setor B. Os minutos passavam tão devagar que chegavam a ranger. Que nem o portão de ferro que o funcionário abriu e fechou não tem nem uma hora, quando foi pagar o almoço.

Enquanto tentava recuperar o fôlego, os pensamentos iam e vinham pela sua cabeça, fazendo uma bagunça de dar dó. Mas tempo era o que não faltava a Marquinho ali e ele, na maior calma do mundo, ia puxando cada uma das pontas daquele novelo, o nó aos poucos ia sendo afrouxado e desatado. Dando um exemplo, ele não podia misturar a imagem de Valéria, que mais parecia uma Iemanjá com aqueles cabelões de henê, com a falta que estava fazendo um mané para esvaziar os bolsos em um joguinho de cartas.

Tentou concentrar-se em Valéria, naquela conversa maluca que tiveram antes de ele ser mandado para a solitária. Sendo sincero, chefia, aquilo mais parece uma mensagem dos orixás para que desse o pinote enquanto era tempo. Mas muito embora tivesse nascido dentro do terreiro de macumba do qual o seu pai era o babalaô, ele jamais seguira as suas intuições. Se fosse assim, não estaria ali, pagando uma pena que inicialmente era de 42 anos, tendo caído depois para 38. Avisos não lhe faltaram antes de se tornar o Marquinho Neguinho, o cara mais procurado de Niterói na década de 1970.

O que dizer do dia que seu tio, na época diretor de bateria da Viradouro e como tal amigo de meio mundo do outro lado da poça, o procurou no Morro da União lembrando que falara sobre o seu caso com Vítor Macaco, aquele travesti que na época oscilava entre o papel de fodão da 76ª DP e o de bicha louca, que limpava a ficha de qualquer bandido que se dispusesse a passar um final de semana no sítio que ele tinha no meio da mata, enchendo seu cu gordo de rola, com o perdão da grosseria, chefia? Seu tio, que sempre foi trabalhador, nunca entendeu que Marquinho, bandido até a medula, jamais iria até uma delegacia de polícia com os próprios pés. O cara achava que o problema seria dar uma bimbada no Vítor Macaco, coisa que, pra ser sincero, não era o seu prato preferido, mas que ainda hoje come com o maior prazer quando por qualquer que seja a razão está sem parlatório na cadeia.

Se tivesse entrado no jogo naquela hora, sua vida hoje poderia ser outra. Do mesmo modo como numa rodada de buraco, onde cada carta é decisiva para o destino do jogo. Depois que ela passa, muito provavelmente a gente nunca mais a tem de volta. Por isso que a gente precisa estar o tempo todo atento, ligado no lance, com aquela tensão que nos acostumamos

NO CORAÇÃO DO COMANDO

a ver nos filmes de bangue-bangue, quando os caubóis empunham as pistolas e ficam ali, olho no olho, só esperando que o outro vacile para pou, mandá-lo para o inferno. Quem sabe hoje não seria o macho do Vítor Macaco? Ou como macho dele tivesse conseguido ir treinar em um clube grande, quem sabe até o Flamengo, o Mengão do seu coração? Do jeito que as pessoas têm medo da polícia, é bem capaz que o deixassem mostrar como sua bola era redonda só porque chegara lá indicado pelo delegado travesti.

Mas não ouviu o sinal do destino e logo se tornou um dos homens mais procurados de Niterói, não importando mesmo se ainda era um menor. Porque o travesti do Vítor Macaco cumpriu a ameaça que fez quando lhe mandou o recado pelo tio, de que jamais entraria em uma delegacia com os próprios pés. Pois diga pra ele que eu vou foder a ficha dele, foi, com o perdão das palavras impóprias, chefia, o recado que o travesti mandou de volta. Dito e feito. Primeiro, ele botou tudo que era puliça e X-9 de Niterói na sua escota. Depois, cobriu Marquinho de porrada dentro da delegacia. E por fim botou na sua conta bem uns vinte assaltos que não praticara, arrumando testemunha e tudo mais pra deixar a sua defesa insustentável diante do juiz. Entendeu agora a história de que a carta só aparece uma vez na mesa, chefia? É pegar ou largar.

Desde que entrou na cadeia, tornou-se um mestre nas artes da sobrevivência, andando com certa desenvoltura pela boca de leões como Bagulhão, Bira Charuto e Japonês, só para citar alguns dos principais nomes do Comando Vermelho com os quais conviveu de perto ao longo dos últimos anos. Mas quando do o assunto é um belo par de pernas, tudo muda de figura. E pernas é o que aquela Iemanjá tem. Que Ogum perdoasse, mas por ela toparia uma guerra da boa.

O silêncio do castigo foi quebrado pelas sutis passadas do Desipe, nome do ratão que entrava na tranca, vindo pelo boi, depois de cada uma das refeições que lhe era servida. Tá aqui o teu rango, Desipe, disse ele quando viu os olhos escuros do rato fixos em sua direção. Já ouvira falar de muitos presos que ficaram sem um pedaço de dedo ou mesmo do peru porque não reservaram um pouco de comida para o rato dentro da solitária. Ele é que não marcaria esse tipo de touca.

Aquele já era o décimo dia de tranca, o que, em vez de aliviá-lo, deixava-o ainda mais ansioso. Era como estar fazendo 700 flexões em uma seqüência de mil, dessas que costuma fazer quando acha que o tempo parou. As primeiras dificuldades são sempre suportáveis. Mas depois de um certo tempo, elas se tornam um sacrifício dos grandes. Nem mesmo com um joguinho de cartas, que ele obviamente trouxe malocado no saco quando o funcionário o levou para o castigo, dava para matar o tempo.

Era preciso muita imaginação numa hora dessas. Não somente isso. Ordem também. Para que não se enroscasse de novo nas pontas de pensamento que vão percorrendo sua mente, uma indo em direção ao seu passado, a outra aninhando-se em seu presente e uma terceira procurando as promessas de futuro, todas elas, é óbvio, ao lado da Iemanjá de cabelos de henê. Resolveu então fazer uma bela faxina na cabeça.

Começou pelo passado, nos primeiros lances do jogo da sua vida bandida. Engraçado, pensou ele. Olhando assim, parece que a única função da gente dentro desse jogo é pegar a

NO CORAÇÃO DO COMANDO   29

carta ali no bagaço e quando muito escolher se fica com o rei de paus ou o duque de ouro. Porque no seu caso mesmo, não sabe se teria muita escolha depois que seu pai lhe deu a responsabilidade de cuidar dos quatro irmãos mais novos, ponto de partida de sua história de marginalidade. É lógico que não daria para resistir aos apelos da garotada gritando nas vielas do morro da União, onde ele nasceu e se criou até se tornar o temido Marquinho Neguinho. Aí ele deixava seus irmãos trancados em casa e saía correndo atrás de uma bola — com a mesma fissura com que hoje vai atrás de uma Iemanjá.

Será que ele podia fazer alguma coisa com as cartas que vieram na sua mão? Quando fala de baralho de verdade, fica mais fácil jogar com as cartas que ele maceteia, raspando no chão as figuras de modo a poder reconhecer, só pelo tato, o que é que está puxando da mesa. Mas em primeiro lugar não nasceu já sabendo jogar e muito menos ainda trapacear. E talvez tenha sido essa razão para bater uma pelada atrás de outra, até chegar o recado de que seu pai estava procurando-o pelo morro. Sabendo que ele o cobriria de porrada por não ter ficado cuidando dos irmãos mais novos, que a essa hora deviam estar chorando dentro do barraco, fugia para o asfalto. Nessas fugas, chegava a passar três, quatro meses perambulando pelas ruas.

As ruas, ao contrário do que muita gente pensa, são um grande parque de diversão. Lá tem outras crianças, tem espaço para correr e acima de tudo tem todo o tempo do mundo para que elas possam aproveitar a vida. Só sendo muito do playboy para não perceber que a felicidade fez das ruas o seu palacete — basta ter um pouco de comida, alguns pratos de feijão com arroz requentado mesmo. Foi nesse grande parque de diversão que Marquinho aprendeu a roubar e a amar a carne das mulheres.

Quando batia a saudade da família, ele procurava a tia Marinete, irmã da sua mãe, que depois de lhe dar banho, catar-lhe os piolhos e cuidar dos ferimentos que o seu corpo colecionava durante o período de aventuras, levava-o de volta para casa. Mas lá encontrava as mesmas cartas de sempre, o mesmo pai severo, a mesma mãe passiva e, pior, os mesmos irmãos para cuidar como se filhos seus fossem, roubando dele todo o tempo de que poderia dispor para estudar ou correr atrás de uma bola. Da mesma forma, o resultado do jogo não mudava e logo estava o Marquinho deixando os meninos de lado para bater uma pelada na favela e se empolgando com o companheirismo do time e a receptividade da torcida, que o tratava como se fosse um verdadeiro rei.

No melhor da pelada, chegava mais uma vez a mensagem de que o pai, fulo da vida, estava procurando-o e lá ia ele mais uma vez para o asfalto, onde antes dos 10 anos aprendeu a churrear e antes dos 12 já ousava fazer um pris.

O jogo foi ficando cada vez mais sério e Marquinho foi dobrando as apostas, ficando cada vez mais fissurado com o mundo do crime, aventurando-se cada vez mais e, é lógico, ganhando cada vez mais com os seus lances de ousadia. O primeiro assalto, por exemplo, por que logo ele foi um dos que lhe rendeu mais dinheiro? Teria sido só para que acreditasse que o crime compensa, que a vida, além de maravilhosa, era perfeitamente possível quando a gente aplica um golpe aqui, mete um supermercado ali, estoura um posto de gasolina mais

NO CORAÇÃO DO COMANDO

adiante, passa uma noite inteira fazendo arrastão, assaltando qualquer coisa que lhe passasse pela frente até encontrar a boa?

Lembra muito bem do seu primeiro assalto — mais ou menos como naquela propaganda da televisão, que diz que o primeiro sutiã a gente nunca esquece. Foi um supermercado lá de Niterói. Estava com um pessoal mais velho, que até uma cadeia já tinha puxado. Mas mesmo com toda a experiência deles, não estavam conseguindo entrar no supermercado, que ficava numa região muito movimentada. Era um menor, mas a bandidagem o considerava no morro. Por isso não mudaram de assunto quando ele se aproximou do grupo, que naquele momento discutia as dificuldades do assalto.

— Onde é que fica? — perguntou Marquinho, querendo se enturmar.

— Lá no Gragoatá — explicou um deles.

— Por que a gente não vamos hoje à noite? — sugeriu ele, querendo mostrar serviço.

— Tu tá com essa disposição toda, menor?

— Vocês duvida?

Pagaram para ver e ele não decepcionou ninguém. Muito pelo contrário. Foi o Marquinho que descobriu um mamoeiro levando até o telhado do supermercado, que, sempre muito ágil, subiu. Lembra muito bem de ter visto um casal tendo relações sexuais no prédio ao lado, da facilidade com que conseguiu remover as telhas e da estante pela qual desceu dentro do escritório comercial. Depois abriu a porta, chamou o pessoal e, lá dentro, viu um dos maiores espetáculos da terra — o Peidão, um dos seus comparsas, arrombando um cofre com uma invejável mestria, usando do apenas duas chaves de fenda e um pé-de-cabra.

Pouco mais de uma hora depois, eles estavam entrando em um táxi em direção ao morro da União, onde cada um chegou com um dinheiro que na época dava pra comprar um fusca e com o qual Marquinho forrou a cama de uma prima sua (que depois se tornou crente). Logo começou a correr pelo morro que o Marquinho tinha ficado rico e até a sogra, que nunca perdoara o fato de ele ter tirado de casa a sua menina de 14 anos, foi lhe pedir dinheiro emprestado para poder pagar uma prestação que estava atrasada. Também a mãe, que jamais compactuara com a sua opção pela bandidagem, foi procurá-lo para que a ajudasse a reabastecer a tendinha que tinha na favela, cujas prateleiras estavam completamente vazias.

Hoje Marquinho se pergunta até que ponto o sucesso do seu primeiro 155 não foi uma cilada armada por Deus, mais ou menos como os jogadores profissionais fazem na rua com os otários, deixando-os ganhar nas primeiras rodadas para que alimentem a vã esperança de que podem vencê-los. Se foi isso o que aconteceu, chefia, eu quero mais é que ele se foda. E ele que pense que eu tô esculachando, porque eu tô mesmo. Qualquer coisa, eu espero o cara com uma moca atrás da porta. Que nem no dia que aquele cara mandou dar um tempo.

Marquinho se assustou com o que foi capaz de pensar e colocou as mãos na cabeça — como se de alguma forma pudesse conter o fluxo dos pensamentos, seus malditos pensamentos. E de uma forma ou de outra foi bem-sucedido em sua empeleitada, já que trouxe na palma da mão a seguinte idéia: deus não é tão trapaceiro assim, não. Não mesmo. Pois se fosse não faria com que a Iemanjá se mostrasse tão doida, tão desnorteada, tão assustadora. A mensagem era para que ele se

NO CORAÇÃO DO COMANDO

afastasse dela o quanto antes. Ou será que não, o cara estava era trapaceando mais uma vez, fazendo com que se protegesse exatamente daquilo que mais devia querer nesse mundo? Se for isso mesmo, seu filho da puta, pode crer que eu vou cobrar. E você deve saber muito bem como é que um bandido do Comando Vermelho faz suas cobranças.

— Chefia, me tira daqui por favor antes que eu enlouqueça! — gritou Marquinho.

Seu grito ecoou dentro das apertadas paredes do castigo. Ninguém ouviu, tinha certeza disso. Nem mesmo Deus.

CAPÍTULO 5

— Última volta do ponteiro — gritou lá de dentro o chamado ligação central, que no jargão das cadeias do Comando Vermelho é a pessoa responsável pela distribuição das informações entre os presos. A voz, suficientemente forte para ser ouvida em todas as celas do Setor B, também chegou ao Nelson Hungria e particularmente aos ouvidos de Valéria.

— Lá vêm os cu vermelho de novo — disse ela, irritada.

Estava com Andréa, na comarca dela. Conheciam-se de antigos carnavais — mais precisamente da época da chamada Gangue da Zona Sul, ponto de partida de sua história no crime. Amavam-se de corpo e alma desde aquela época, quando dormiam ao relento no Posto 4, nas areias da Praia de Copacabana.

— Tu também não é fácil, hein, bandida... — protestou Andréa.

As duas riram. Há pelo menos 15 anos isso acontecia — Valéria soltando seus cachorros e Andréa tentando domá-los.

Agora era a má vontade dela em relação aos bandidos do Comando Vermelho. No passado, foi o ódio que tinha pela Gangue da Zona Norte. Houve também outros acessos de ira — contra a violência da puliça, a indiferença das madamas, a grosseria dos comerciantes, que nunca tiveram paciência para entender a felicidade dos menores (e quem vive na rua, não importa a idade, é sempre um menor). Em todas essas situações, Andréa fez o que estava ao seu alcance para minimizar os problemas da amiga.

— Seis horas — gritou um minuto depois o mesmo ligação central.

Começou então o minuto de silêncio que precede a oração, durante a qual o povo do Comando reverencia o Supremo. Valéria, que nunca gostou da rígida hierarquia das cadeias masculinas, não consegue acreditar no que seus olhos vêem. Todos os homens do Setor B param tudo o que estejam fazendo — seja azarar uma mina do Nelson Hungria ou cheirar uma rapa de pó ou mesmo lavar uma roupa. Eles em seguida colocam uma camisa e perfilam de frente para a porta da cela.

— São uns macaquinhos mesmo — disse Valéria, desdenhando.

— Olha o respeito — disse Andréa, impedindo-a de levantar e ir até a janela da cela, onde ela pretendia ridicularizar os bandidos do Comando. — Com Deus não se brinca.

— Esses bandidos também, os caras pedem proteção a Deus até quando saem pra uma matança.

— Essa é uma conta que eles têm que prestar ao Supremo, não a tu, bandida.

Valéria preferia muito mais a cadeia das mulheres, onde não há xerifes e as diferenças são resolvidas ali mesmo no miolo, seja no braço ou no estoque. Mas tinha que admitir que estava sendo desrespeitosa mesmo, os machos tinham direito de seguir a ordem que bem quisessem e entendessem. Não honravam a calça que vestiam, mas podiam reverenciar os seus chefes à vontade.

— Paz, justiça, liberdade, Comando Vermelho, RL, fé em Deus, fé nas crianças — rezou todo o coletivo do Setor B a plenos pulmões.

A chamada oração do Comando Vermelho foi introduzida nas cadeias por Ricardo Duram, que desde a época da Ilha Grande dizia para os presos que eles tinham que tirar pelo menos um minuto por dia para pensar em Deus, na família, nos companheiros de crime. Nos dias em que algum irmão morre, a oração e o tempo são maiores, chegando a durar cinco minutos. Mas atualmente ela é curtinha assim mesmo, pensa Valéria com um ar de alívio. Porque do jeito que está hoje, triste com as lembranças que lhe trazem a proximidade do Natal, ela bem que gostaria de fazer um escarcéu com os cus vermelhos.

— Você é tão engraçada, Valéria — disse Andréa, com aquele ar de quem conhece as profundezas de sua alma.

— Engraçada por quê? — perguntou Valéria, enfezando-se.

— Porque, para não ficar triste, você fica com raiva.

As lágrimas que Valéria tentou enganar com a sua raiva vieram à tona e ela se atirou nos braços de Andréa. Da boa e velha Andréa. A pessoa que melhor a conhecia em todo esse mundo de meu Deus. Às vezes, ficava pau da vida com esse poder que ela tinha de mergulhar na sua alma.

— Quantas vezes você já foi à merda hoje? — perguntou ela, sabendo que, com Andréa, nada que lhe dissesse seria tomado como esculacho.

Valéria deitou a cabeça no colo da amiga. Sem segundas ou terceiras intenções, diga-se logo. Estava apenas se rendendo à tristeza. Coisa que com certeza só faria na frente dela. Na frente dos outros, ficaria era com raiva. E muita.

— Fala aqui, o que que tá pegando? — disse a amiga, passando a mão pelos seus longos cabelos.

— É saudade das meninas. Saudade. Muita.

Andréa sabia de que meninas ela estava falando — eram as suas três filhas, cujo crescimento deixou de acompanhar ao ser presa. Vira quando cada uma delas nasceu, em um momento da vida em que Valéria tentou ser dona de casa e mãe de família, apagando as marcas dos anos que passara nas ruas. Não perderam o contato nem mesmo nessa época, apesar do ódio que o marido dela tinha de todas as pessoas da Gangue da Zona Sul. Isso só aconteceria no dia em que morressem.

— Não sei por que eu fui fazer aquela besteira — disse Valéria.

Andréa também sabia do que Valéria estava falando — sempre sabia do que ela estava falando, mesmo agora, que, primeiro por causa da prisão de Valéria e depois por causa do sumiço que tivera que dar para não cair na mão dos home, estavam sem se ver há quase nove anos. Não deixaram de se escrever esse tempo todo, relatando uma para a outra as dores e dissabores que iam enfrentando nessa vida bandida.

— Coisas da juventude — disse Andréa, tentando consolá-la.

NO CORAÇÃO DO COMANDO

— Eu fui foi uma irresponsável, isso foi o que eu fui.

Lembra bem do dia em que Valéria a procurou no quarto em que morava na Apoteose, dizendo que ia deixar o casamento e os filhos para trás, que seu negócio era viver perigosamente, aventuras, loucuras do coração. Andréa alertou-a para a culpa que sentiria no futuro, os remorsos que apertariam seu coração se largasse as crianças, principalmente elas.

— Não pode ser nada pior do que está acontecendo agora — respondeu Valéria.

O marido dela era realmente um imbecil — que não perdia oportunidade de cobri-la de porrada, o que só não fazia mais porque Valéria não era mulher de apanhar calada. Mas o pior mesmo ainda estaria por vir. E não seria por causa de nenhum puliça ou homem escroto. O seu maior inimigo, a partir de então, seria ela mesma, a culpa que sentiria por não ter batalhado pelas filhas que dizia serem a razão da sua vida.

— Você não imagina o que é uma mãe que abandona os filhos — dissera Andréa na ocasião.

— Você também não — respondera Valéria, pilheriando.

Andréa tinha um compromisso para aquela mesma noite — o de assaltar um posto de gasolina. É óbvio que Valéria, sempre cúmplice dos delitos de Andréa, quis ir. E foi. Foi o seu primeiro 157. Ficou tão excitada como no dia em que descobriu o sexo.

Começou ali uma seqüência de assaltos espetaculares, interrompida apenas quando Valéria caiu enquanto roubava uma casa de câmbio e, depois de dar um nome falso na delegacia, conseguiu ganhar a rua por ser primária. Para limpar a cara, foi dar um tempo em São Paulo, onde teve guarida dos chamados carimbós — paulistas que vêm atrás da boa no Rio de Janeiro e voltavam para a sua cidade natal quando a barra começava a ficar pesada pelas bandas de cá. Lá conheceu o crack, que fumou até ficar na capa do Batman, os ossos tudo à vista. Nas muitas noites que virou pelo avesso, pensou que, se tivesse Andréa ao seu lado, não teria ficado viciada. Não agüentou nem um ano nessa pegada. E ao voltar, a primeira pessoa que procurou não foi a sua mãe de criação, não foram as suas filhas lindas, não foi nenhum negão com borogodó. Para puxá-la do fundo do poço, a única mão amiga em que podia confiar era a da Andréa. A dela e tão-somente a dela.

Ainda hoje não sabe como, mas, com a ajuda de Andréa, conseguiu tirar as pedras de crack de sua cabeça. É verdade que, no lugar delas, surgiu um vazio semelhante ao que invadiu o seu peito quando viu as propagandas natalinas na televisão, onde todas as famílias são unidas e sorriem em torno da árvore repleta de presentes. Mas o destino sempre colocava Andréa na sua frente, do seu ladinho ou até mesmo como guarda-costas. Na volta de São Paulo, pôde ficar por mais de mês no quartinho dela, chapadona na cama, fumando baseados enormes, bebendo copos de cerveja que estavam sempre cheios, falando besteiras até esvaziar o ódio do seu peito.

— Aqueles filhos da puta — amaldiçoava Valéria, sabendo que o seu acesso às filhas lhe era vedado porque, para não depender do dinheiro de ninguém, se tornara bandida.

Sempre ficou com raiva (e ainda hoje a tem) quando vê Andréa defendendo sua família — que a deixou numa verdadeira sinuca de bico, sem lhe dar dinheiro por um lado e, por outro, sem admitir que o arrumasse por seus próprios meios.

Eram conservadores, achavam que a mulher tinha nascido para cuidar do maridão e dos filhotes, não importava se a mesma mão que lhe trazia o dinheiro das compras era a que a cobria de porrada na volta da feira.

— Você não sabe que foi por causa deles que estou aqui? — vociferou Valéria.

— Como? — disse Andréa, sem entender nada.

Era difícil de explicar. Mas Valéria teve a calma necessária para atualizar a fita para a amiga, razão das únicas alegrias que sentiu em todos esses anos de cadeia quando a viu chegando no Nelson Hungria na noite anterior, punida por causa de um pau que dera em um sapatão que achara ser sua dona no Romeiro Neto, cadeia semi-aberta de Niterói. Com ela, não precisava agir com o respeito que os presos em geral têm um pelo outro, única maneira de tornar possível a convivência entre eles. Não, não era pela preocupação com a chamada continuação, que, como provava o próprio encontro com a Andréa, era inevitável nessa vida bandida. Com ela, não era por causa do lá na frente, que pode ser alguma cadeia ou alguma parada em uma favela.

— É isso mesmo que você está ouvindo — disse ela. — Eu estou aqui porque um belo dia o Balbino chegou pra mim e disse que pagaria todos os advogados que eu precisava pra ter minhas filhas de volta se resolvesse umas paradas pra ele.

— Que parada é essa?

— Matar a mulher do matuto dele, que tinha enchido a cabeça do cara de chifre.

— Mas a sua nunca foi essa.

— E quem foi que disse que bandido é especialista em alguma coisa, cacete? Não existe matador, traficante ou seqüestrador. Existe apenas a necessidade. E naquele momento eu tava precisada de um advogado pra poder ter as minhas filhas de volta. E pelas minhas filhas eu faria qualquer parada. Mesmo que não fosse bandida, irmãzinha.

As lágrimas irromperam como lava de vulcão em seu rosto e Valéria se abraçou a Andréa. Ficaram ali durante longos minutos.

— Dá licença — disse uma respeitosa Luciana, anunciando sua indesejada chegada na comarca de Andréa.

— Ai, cena de ciúme agora não — disse Valéria, impaciente com o sapatão que cuidara dela desde sua chegada no Nelson Hungria até a noite anterior.

— Não, não é nada disso — defendeu-se Luciana.

— Que que tá pegando, então?

— É o Marquinho, tá ligada?

— Que que tem o cara?

— O cara mandou essas paradas aqui pra você.

Surpresa, Valéria deu uma risada. Depois enxugou as lágrimas, ajeitou os cabelos e abriu os presentes recém-chegados. Tinha um perfume, um batom vermelho e cigarros, muitos cigarros. Além disso, havia um cartão em que de um lado estava uma bela manhã de sol no Rio de Janeiro e, do outro, o seguinte texto: "Iemanjá, não existe a menor possibilidade de eu viver longe de tu."

— Esse cara é tão teimoso que vai acabar me conquistando.

CAPÍTULO 6

Marquinho passou um pente no bigode e tirou a meia de mulher da cabeça, deixando à mostra os cabelos domesticados por mais uma sessão de henê. Pena que na cadeia não possa ter espelho, onde certamente se tornaria uma eficiente arma na primeira rebelião ou guerra de facção. Era otarice, pois até o ar pode virar um estoque na mão de um bandido do Comando. Mas ele é que não ia se preocupar com essas coisas agora. Agora ele só queria saber de sua Iemanjá. Tivera que comer o pão que o diabo amassou até conquistá-la. Estava na hora de desfrutar.

— Fé em Deus, chefia — disse para o funcionário.

— Como é que é, Marcelinho?

— Ih, chefia, esqueci de novo. Desculpe. Mas é que eu tava empolgado com a Iemanjá que eu pedi pro senhor levar aquelas paradas, lembra dela?

O funcionário fez que sim com a cabeça.

— Pois é — disse Marquinho, os dentes brancos contrastando com a pele negra. — Tá no papo.

Marquinho apalpou o bolso, onde guardava o toque que ela lhe mandara como se ali dentro estivesse um tesouro de outras eras. Não sabia ler, mas tinha cada uma daquelas palavras gravada no coração como se fossem as vistosas tatuagens que trazia em seu corpo musculoso — o mesmo com que um dia haveria de abraçar Valéria.

— Bandido, gostei do teu jeito — lembra direitinho do Banana lendo pra ele no meio da última noite, que os dois passaram enfiando a napa. — Como disse, tinha desistido de homem. Mas um homem como tu eu acho que merece uma chance. Primeiro foi a tranca que tu pegou só pra poder falar comigo. Agora foram os presentinhos, que chegaram numa hora que eu tava muito triste, precisada de um gesto como o teu. Já sofri muito por causo de homem e espero não me decepcionar com tu, que parece ser carinhoso. Vai aí um beijo com o batom que você mandou.

Mandou o Banana ler aquele toque bem umas dez vezes.

— Quer cheirar outra rapa? — perguntava, aproximando o prato dele.

O cara, sempre guloso, dizia que sim. Mas aí Marquinho puxava o prato para si.

— Então lê de novo — dizia ele, deliciando-se com o poder que lhe dava a propriedade do pó.

"Um homem como tu eu acho que merece uma chance", repetia ele enquanto atravessava o corredor com passos ansiosos, feliz como nos distantes dias em que fugia do barraco dos pais para bater uma bola com a molecada da favela. O gol, que seria de placa, era o cubículo do Ernesto, que ficava de frente para a Galeria 6 do Nelson Hungria. Ele ficaria no cubículo do Ernesto e ela, na Galeria 6. Assim daria para conversar. Na maior.

NO CORAÇÃO DO COMANDO

— Oi — disse ela ao vê-lo, com um sorriso de menina-moça.

— E aí, vai me dar um cacho do teu cabelo?

Ela fez que sim com a cabeça.

— Quando?

— Calma, seu apressado.

— E a calcinha?

— Tu também não é fácil, bandido.

— Leva a mal não, morena. Tu sabe como é a vida na cadeia. A gente só güentamos o sofrimento aqui dentro por causo das coisas que nós tem lá fora. Como uma mulher bonita e cheirosa que nem tu.

— É, bandido. Tu fica falando assim, a gente até acredita que tu é um cara bacana. Mas não vá pensando que eu sou boba. E se tu quiser ter uma coisa séria comigo mesmo, vai tratando de despachar as tuas outras correspondentes.

— Que correspondentes?

— Se você quer ficar de sacanagem comigo, eu tô indo nessa.

Valéria deu as costas e saiu andando. Parecia levar consigo o ar que Marquinho respirava.

— Peraí, Iemanjá — gritou Marquinho, antes que ela desaparecesse.

Ela se voltou para o Setor B.

— Vai despachar as garotas?

— Vou.

— Então, a gente faz assim. Primeiro você despacha elas e depois eu te mando o cacho do meu cabelo e uma calcinha minha.

Marquinho fez um rápido cálculo da cocaína que iria precisar bancar para que o Banana escrevesse os seis toques que precisaria mandar para o Nelson Hungria. Pelo andar da carruagem, ia ficar pobre antes de conseguir dar o primeiro beijo na sua Iemanjá de cabelos de henê. Mas uma morena daquela valia qualquer sacrifício. Desde que não levassem o pau que meteria naquela barata, com o perdão dos palavrões, chefia.

CAPÍTULO 7

Os toques começaram a ir de lá para cá e, com eles, Marquinho gastou a maior grana para financiar as leituras e os textos que o amigo Banana escrevia movido pela cocaína que conseguia ali mesmo no São Carlos, que é colado ao complexo da Frei Caneca. Primeiro, foram os toques para acabar o noivado com as correspondentes do Nelson Hungria, atendendo à exigência de Valéria. Depois vieram as negociações para que ela se transferisse para um cubículo da Galeria 6, a única que ficava de frente para o Setor B.

Durante esse processo, a ansiedade roeu as entranhas de Marquinho, principalmente nas noites insuportavelmente quentes daquele verão.

— Valéria — gritava ele, morrendo de saudade e desejo.

— Você é a razão da minha vida.

Os gritos de Marquinho entraram para o folclore da cadeia, deixando ainda mais animadas as festivas noites da bandidagem. Mas eles também trouxeram problemas para Valéria, já que em tese é proibida a comunicação entre os presos de diferentes penitenciárias. Principalmente quando é feita aos berros no meio da madrugada, incomodando o sono das desipas.

— Bandido, cada vez que tu grita o meu nome no meio da noite eu me sinto a tal, a mulher mais gostosa dessa cadeia. Mas logo depois vem uma funcionara me dá um pau — protestou Valéria em uma das conversas que tiveram logo depois que ela se mudou para a Galeria 6. — Tu não leva a mal não, mas eu acho que se é assim eu prefiria ser uma jaburéia desdentada.

A culpa anunciou sua chegada no coração de Marquinho, mas sua cabeça não deixou que ela se instalasse.

— Então agora eu vou chamar tu de Vida — disse ele, achando-se o homem mais esperto do mundo. — Quero ver agora o que as desipas vão fazer.

Realmente, as agentes penitenciárias nunca mais voltaram a incomodar Valéria, já que somente para Marquinho havia uma ligação estreita e indissolúvel entre aquela Iemanjá de cabelos de henê e a palavra vida, que ele gritava cada vez mais alto no meio das noites em que, por não tê-la ao seu lado, tudo era de uma solidão absoluta.

— Vida — urrava ele, denunciando para todo o coletivo o vazio que agulhava suas entranhas.

Como não poderia deixar de ser, os lancinantes gritos de Marquinho despertaram a curiosidade de todos em relação à sua Vida. Quem seria aquela mulher? O que ela tinha feito para estar ali, amargando uma cadeia de quase vinte anos no Nélson Hungria? Até mesmo a federação, grupo de cerca de vinte pessoas que controlam cada movimento dentro de uma prisão do Comando, ficou interessada na Vida do Marquinho. E por essa razão mandou Shirley e Xaxa chamá-lo em seu cubículo.

— A federação quer falar com tu — disse Shirley.

Marquinho sentiu um frio na barriga ao ver Shirley e Xaxa dentro da sua cela. Como a maioria esmagadora do coletivo, já fizera uso dos serviços sexuais que os dois simpáticos travestis tão bem prestavam aos bandidos sem parlatório. Mas Marquinho sabia muito bem que não estavam ali como mulheres. Não acreditava que fosse ser pendurado tão logo saísse do cubículo, mas tinha certeza de que precisaria estar muito esperto na sala da federação. Porque os chamados bichos só saem à caça quando o bagulho é sério. Muito sério.

— Fé em Deus, chefia — disse Marquinho, cumprimentando os dois bichos.

— Pode crer, bofe. Tu não sabe como tu tá precisando da proteção do Supremo — disse Xaxa.

Marquinho não conseguia imaginar o grave erro que cometera — da perspectiva do Comando, é claro. Mas não era a primeira vez que se via diante de Shirley e Xaxa não como as duas bichas loucas que faziam a alegria principalmente dos caidinhos. Estavam ali como dois rancorosos bichos que aproveitavam qualquer vacilo dos bandidos para se vingar da noite em que outros matadores os abordaram do mesmo modo como aprenderam a fazer e colocaram o seguinte dilema: ou viram garoto ou presunto. Não fazia muito tempo, teve que usar da moral que seus muitos anos de cadeia lhe deram para impedir que o executassem antes mesmo que explicasse que não passava de boato a história de que, para ele, só tinha dedo-duro no Comando Vermelho.

— Vamu nessa? — disse Marquinho para os bichos depois de vestir a sua melhor camisa e de calçar o seu melhor tênis, o que era uma forma de mostrar o seu respeito à autoridade da federação.

Os dois bichos seguraram Marquinho pelo braço, mas ele os rechaçou.

— Qualé, bicha? — disse Marquinho, falando com a firmeza de um irmão que viu a facção nascer.

— A gente não estamos aqui como bichas, mas como bichos — disse Xaxa. — E tu sabe que quando nós tem uma missão a gente vamos até o fim.

Enquanto caminhava para a federação, Marquinho foi pensando nos tipos de bandido com os quais convivera (e respeitara) ao longo de sua cadeia. Virou noites cheirando com ousados seqüestradores, jogou cartas com traficantes internacionais e no futebol deu desconcertantes dribles nos valentes guerreiros da facção, que trocavam tiros com os três cus não porque essa era sua responsa com o Comando, mas porque tinham um prazer todo especial em ver os alemães caindo. Havia, porém, dois tipos pelos quais tinha um enorme desprezo. Eram os robôs e os bichos. Chegava a pensar que eles tinham grande participação na queda do prestígio do Comando Vermelho nas cadeias cariocas, que já foram um feudo da facção e a cada dia que passa vão sendo retalhadas por quadrilheiros pé-de-chinelo, que até um passado recente viviam levando tapa na cara dentro do coletivo.

Para Marquinho, tanto os robôs como os bichos mereciam o mesmo tratamento que o Comando dá aos estupradores, que são sumariamente executados tão logo entram em uma cadeia da facção. E não era à toa que Marquinho botava esses dois tipos de bandido no mesmo saco. Colocava-os porque, do mesmo modo que os estupradores não consideram a mãe ou a filha da gente quando querem fazer uma curra, os robôs e os bichos não querem saber se o alvo da sua missão é um irmão de sofrimento com longos anos de prisão ou um respeitável pai de família que, por ter perdido o emprego e deixado de pagar a pensão dos filhos, deu o azar de cair numa cadeia de Comando. Era por isso que ria por dentro quando chegava aos seus ouvidos a notícia da queda de um chefão nas mãos de um deles. É nisso que dá criar cobra, pensava, um dia a gente acaba picado por ela.

É verdade que o caso de Shirley e Xaxa tem as suas diferenças, os seus particulares. Não são, por exemplo, como o Fonfon, um dos maiores robôs da história do Comando, que assinou a execução de muitos irmãos em troca de uma peça de ouro, uma rapa de pó ou o tênis importado que a vítima estivesse usando. O caso dos dois é neurose mesmo, matam porque a vida deixou de ter graça para eles desde o dia em que perderam o prazer de fincar o pau em uma buceta, sem uma Vida a ser conquistada e explorada até a total exaustão de corpos que suam, gemem e rolam pela areia de uma praia como a de Copacabana, sem um norte com o qual sonhar quando o ar da cadeia se torna ainda mais rarefeito e nuvens cinzentas parecem cair do céu, sufocando todas as possibilidades de futuro como se fossem puliças reprimindo uma rebelião. Marquinho não sabe se agiria como eles se um dia fosse vítima de uma violência semelhante. Não sabe mesmo.

— Fé em Deus, Japonês — disse Marquinho, dirigindo-se ao então chefão do Comando. Toda a federação estava reunida, reparou Marquinho, preocupado. Com seus muitos anos dentro de uma cadeia do Comando, sabia reconhecer de imediato quando havia uma questão muito séria a ser resolvida. Por quê, não tinha a menor idéia. Mas logo seria colocado a par de tudo, disso ele também estava certo. Com o CV, não tem mas, mas, mas. O papo é direto e reto.

— Fé em Deus, Neguinho — respondeu Japonês.

Japonês apontou uma cadeira vazia e esperou que Marquinho se sentasse.

— Neguinho, a gente se conhecemos desde a Ilha Grande. Tu sabe que tu só num tá numa posição de chefia porque teu negócio mesmo é bola e mulher. Porque tu só quer puxar tua cadeia na paz. Mas são poucas as pessoas aqui dentro que entendem tanto de Comando que nem tu. É por isso que eu sempre digo pra esses funkeiros que tão chegando na cadeia: quer puxar uma cadeia de responsa? É só seguir o exemplo do Neguinho.

Marquinho sabia que a federação jamais se reuniria para fazer um elogio público a um irmão da família. Esse tipo de coisa pode acontecer em outros tipos de família, aquela de papai e mamãe que todo mundo tem, que vive querendo dizer pra gente que a vida é assim ou assado, que, pra se dar bem, você tem que seguir o exemplo do fulaninho de tal. Mas o grande elogio que um bandido cheio de trunfetas pode fazer a um dos irmãos é deixá-lo vivo, chefia. O resto é caô antecipando o anúncio da tua pena. Em geral, de morte.

— Chefia, sem querer faltar com o respeito com as tuas trunfetas, dá pra ir direto ao assunto?

Marquinho sabia que estava correndo risco falando assim — uma das primeiras aulas que aprendeu nessa escola foi que, para sobreviver em uma cadeia de Comando, você tem que obedecer a sua rígida hierarquia ou, como dizem os bandidos, tem que saber andar na sua disciplina. Mas essa regra só valia até o momento em que se está no meio do coletivo, junto com a rapaziada do crime. Ali, no meio da federação, você tem que se impor.

— Sabe quem é Valéria? — perguntou Japonês.

Marquinho achou estranho que a federação o chamasse para desenrolar uma situação envolvendo minas. Será que era por causa dos seus gritos no meio da noite?, pensou. Mas aí lembrou de uma velha regra do Comando, que, para evitar que os irmãos briguem por mulher, impede que quem é da facção namore com uma dona que já tenha sido de um outro bandido do CV.

— Alguém aqui já foi namorado dela?

— Ninguém aqui tá maluco pra dormir com uma alemoa.

Caralho, por essa não esperava.

— Quer dizer que a dona é do Terceiro? — perguntou Marquinho, surpreso.

— Mais do que ser três cu, a dona é sobrinha do Balbino.

Mil vezes caralho, chefia. Qualquer quebra-peça da cidade sabe que a sangrenta guerra entre o Comando e o Terceiro começou ali no Larguinho, uma das favelas do São Carlos, dominada com mão de ferro pelo traficante Adílson Balbino. Como é que ia se meter logo com uma família do cara que começou toda a guerra de facção? Só para se ter uma idéia de como o cara é odiado pelos irmãos, houve uma época em que, para um funkeiro entrar no Comando, ele tinha que participar de uma invasão do Larguinho, que é conhecida como a invicta por ser uma das poucas favelas da cidade que jamais caiu nas mãos dos irmãos. Ela continua lá até hoje. Indevassável.

— Amor não tem facção — disse Marquinho.

A frase saiu da sua boca como se estivesse dando um tiro durante uma briga com um bando, para não morrer sem ao menos levar um inimigo em sua viagem para o inferno. Mas o tiro foi tão eficiente quanto uma rajada de AK. Ninguém da federação se pronunciou. Os caras até parece que estavam procurando um abrigo para se proteger de suas rajadas. Ele aproveitou a temporária vantagem e voltou a sentar o dedo.

— O Comando nunca se meteu com a visita de ninguém. Isso é lei. Dia de visita na cadeia é sagrado. Até parece que aqui só tem anjinho nos dias que a gente recebemos nossas visitas. Até os SOE sabe que podem relaxar em dia de visita. Porque em dia de visita não tem fuga, não tem rebelião, não tem nem cocaína sendo cheirada aqui na cadeia. Só não entendo por que vocês vão se meter logo com a minha visita.

— Mas ela ainda não é sua visita — disse o Ponês, atirando rápido como se finalmente tivesse encontrado uma brecha na guarda do Neguinho e não quisesse perder essa oportunidade de ouro de acertá-lo bem no meio da testa.

— Não é, mas vai ser daqui a pouco — contra-atacou Marquinho com uma arrogância que não conseguiu conter, mas que logo em seguida corrigiu. — Quer dizer, se nós conseguir desenrolar essa situação aqui.

NO CORAÇÃO DO COMANDO 55

Japonês fez um gesto com a mão, pedindo para que tivesse um pouco de calma. Depois pensou um pouco. O silêncio que se fez no cubículo não demorou mais de um minuto, mas para Marquinho durou mais que uma noite suando em cima de uma mulher. Tinha certeza de que ele ia falar dos riscos de informações vazadas, das muitas invasões de favela definidas dentro das cadeias e que poderiam chegar no ouvido dos alemães através de relações íntimas como a que estava se propondo ter com a sua Iemanjá. Precisava de uma resposta além da única que lhe vinha à mente, que era a credibilidade que tinha conquistado em todos esses anos de cadeia, imagina se depois de tudo o que viu e viveu aqui dentro ele ia virar X-9?

— A gente vamos fazer o seguinte, Neguinho — disse por fim o Ponês, mais uma vez fazendo valer a sua condição de marechal do Comando, que pode dar a ordem que quiser sem precisar consultar nenhum membro da federação com menos trunfeta do que ele. — Pra você não ficar com raiva dos irmão, a gente devolvemos teu morro lá em Niterói e tu esquece da alemoa.

Marquinho foi quase a nocaute. A história daquele morro era antiga. Tinha sido ele que financiara a formação da boca-de-fumo do morro da União. Ela não era sua, mas foi com o dinheiro de um assalto gordo que o Moacir Cirilo comprou a primeira partida de maconha da favela. Naquela época, o tráfico era uma atividade sem importância, não rendia a grana dos dias de hoje. Bom mesmo era fazer o que Marquinho fazia, sair com um oitão na cintura procurando a boa pelas noites da cidade. Achou muitas vezes.

— Tá pensando muito, Neguinho — disse Zé Gordo, vice-presidente da federação.

— Deixa o cara pensar, Zé Gordo — disse Ponês, mostrando quem mandava ali e qual era a ordem a ser cumprida naquele momento.

Os pensamentos de Marquinho giravam velozes como um dado percorrendo as casas de uma roleta, passando pelas pernas da Iemanjá de cabelo de henê e depois pelo velho morro da União, onde nascera e se criara para o mundo do crime. A vida não teria a menor graça para ele se ao menos não pudesse dar uma pirocada naquela barata, mais uma vez com o perdão do esculacho, chefia. Por outro lado, foi uma sacanagem o que fizeram com ele por causa da boca, que lhe tomaram na mão grande e ele até então estava deixando pra lá só por uma questão de sobrevivência, mas que quando saísse da cadeia com certeza ia cobrar, ah lá isso ele ia.

Sabia que a consideração que estavam tendo com ele era uma coisa difícil de ver em uma cadeia x de Comando, mas não conseguia se decidir. Ter a boca de volta era uma questão de vida ou morte para Marquinho. Lembrava muito bem do sangue de seu filho mais velho, que levou dois tiros na cabeça no dia que o Comando resolveu tomar o morro da União, só não morrendo porque os orixás resolveram lhe estender a mão na última hora. É verdade que os caras que invadiram a favela não sabiam que a boca era dele ou que o Quinho era o seu filho, mas isso agora é detalhe no meio da confusão. O que importa mesmo é que tem um sangue a ser cobrado, o que ele com certeza vai fazer quando ganhar a sua liberdade. Não que seja um vingador com sede do sangue de traiçoeiros inimigos. Ia cobrar na maior frieza, do mesmo modo que os bacanas cobram uma grana que tenham emprestado a alguém. Porque é assim no mundo do crime, onde todo sangue tem um preço. No mundo do crime, nada se perdoa. Quem quiser perdão, que vá pra cadeia dos crentes, onde Jesus ensina que se deve dar a outra face quando enfiam a mão na cara da gente.

— Posso cobrar o sangue do meu filho? — perguntou Marquinho, mais para ganhar tempo para pensar do que por necessidade de uma resposta para essa questão.

— Tu tá pensando que isso aqui é o quê? — esbravejou Zé Gordo. — Isso aqui é o Comando, porra. Se tu continuar de sacanagem, tu cai agora mesmo. Não mando nem um bicho dar conta de tu.

Japonês interveio de novo, mostrando de uma vez por todas que o chefe ali era ele.

— Pode — disse o chefão do Comando.

Ainda assim a resposta continuava difícil de ser pronunciada. Marquinho vinha sonhando há pelo menos um ano com esse dia, mas a impressão que tinha era de que ele tinha chegado tarde demais. Lembra do dinheiro gordo que ganhou enquanto foi o manda-chuva do morro da União, que comandava da cadeia pelo brinquedo. É bom ser chefão, ter um bando de simpático virando as noites planejando uma maneira de te agradar, lambendo os teus culhões por qualquer coisinha à toa. Mas pra ser sincero, chefia, a única coisa que nesse momento estava lhe fazendo falta era o dinheiro que chegava semanalmente pelas visitas, com o qual poderia comprar uns três SOEs e passar uma semana fudendo a sua Vida em uma suíte presidencial do Champion. E isso ele não tá podendo.

— Sabe de uma coisa, chefia? — disse Marquinho, com a impaciência que só os viciados e os amantes saberiam reconhecê-la. A federação esperou sua resposta fazendo um silêncio pesado. — Não quero saber de morro nenhum. Eu quero é minha Iemanjá. Marquinho baixou a cabeça, esperando o pior. Tinha certeza de que não sairia vivo dali. Mas estava satisfeito com a sua decisão. Era um homem vivido, com quase trinta anos de cadeia e outros tantos de fornicação. Por um lado, sabia que nada poderia garantir sua vida ali, onde quando as pessoas dizem fé-em-Deus à guisa de cumprimento, elas não estão sendo carolas ou crentes ou qualquer porra dessas; estão apenas sendo realistas, pois somente Ele pode garantir o fato de cada um ali ter sobrevivido a tantos tiroteios com a puliça, a tantas trocações com os três cus e até mesmo a tantas cobranças dentro da própria facção. Outra coisa que ele também tinha aprendido nesses anos todos é que paixão é uma coisa mais rara de acontecer do que a proposta que a federação estava lhe fazendo. Sabia também que, se a federação podia voltar atrás em sua decisão, o mesmo não aconteceria com o seu sábio coração, que soube reconhecer em Valéria, na Iemanjá de cabelos de henê, a mulher da sua vida. A mesma vida que poderia durar um minuto ou uma década dentro de uma cadeia do Comando. Não tinha tempo a perder.

— É isso mesmo, chefia. Vocês fiquem com o morro que vocês quiserem. Eu só quero a minha dona.

Ele se levantou e deu as costas para a federação, andando na direção da porta.

— Fé em Deus, Neguinho — disse Zé Gordo.

CAPÍTULO 8

Marquinho não sabe como conseguiu sair da federação, mas, quando se percebeu vivo, a primeira providência que tomou foi procurar o Banana para que ele escrevesse um toque urgente para Vida. Dizendo para que ela fosse correndo para a Galeria 6.

— Cadê meu pagamento? — perguntou o sem-vergonha.

— A gente resolvemos na continuação. Agora a parada é urgente.

Sobreviver tinha deixado Marquinho cheio de tesão. Não exatamente tesão pela vida, que isso nunca lhe faltou. Estava com tesão era por Valéria mesmo, o pau latejava só de pensar no nome dela, antes mesmo de sua imagem começar a se formar em sua cabeça. Precisava vê-la nos próximos 10, 20 minutos, no máximo. Tinha plena consciência de que essa podia ser a última noite da sua vida. E se fosse, que a vivesse intensamente. Da melhor maneira possível. E ele não conseguia imaginar nada de mais prazeroso do que poder ver a maravilhosa nudez que adivinhava por trás das roupas sempre provocativas que ela usava, dentro das quais suas carnes amplas mal cabiam. Morreria sastifeito depois disso. Compretamente.

— Fé em Deus, Ernesto — disse ele ao entrar na cela do irmão.

— Fé em Deus, Neguinho.

Marquinho sabe que cadeia é um lugar onde tudo tem um preço. E por isso foi direto ao ponto.

— Quanto é que tu quer pra ceder o cubico hoje à noite?

— Tem uma rapa aí?

— Tem que bater agora?

— Que que eu vou fazer enquanto tu fica no maior love com a três cu?

— Poxa, as histórias realmente correm na cadeia.

— Quem manda trair os irmão?

— A gente conversa sobre isso depois. Agora me deixa aqui sozinho.

— E a minha brizola?

Marquinho teve vontade de dar um socão no pé do ouvido do sujeito. Não o deu porque em cadeia isso nunca existiu. Nem antes nem depois do Comando. Antes do Comando, qualquer diferença era resolvida na base do estoque, as duas partes envolvidas trocando até caírem mortas no meio do cubículo. E depois do Comando, os conflitos passaram a ser intermediados pela federação. Não havia briga entre pessoas, mas sim contra a facção. Ousar desobedecer a essa norma acarretava em uma surra dada por no mínimo 21 homens, no melhor dos mundos. Muitas dessas brigas terminavam com uma rodinha

NO CORAÇÃO DO COMANDO   61

feita no meio do pátio, que, ao ser desfeita, deixava à mostra
um corpo estrangulado ou repleto de perfurações onde antes
tinha sido o seu centro. Foi essa a maneira que a facção encontrou para pôr um fim nas até então intermináveis trocas de
faca dentro da cadeia.

— Faz o seguinte, irmão. Aqui tá a chave do meu cubico.
Tu passa no Banana e vai com ele lá na minha cela. A brizola
tá dentro de um cafofo que eu fiz perto do pé direito da cama,
é só tu ter um pouco de paciença que tu acha o buraco. Tem
um sacolé de 50 gramas lá. Tu traz metade pra eu e cheira a
outra metade com o Banana.

— Irmão, tu não sabe que entrar na cela dos outros pode
dar em morte aqui dentro?

— Não, irmão. O que dá em morte aqui é quiligue. E tu tá
autorizado a mexer na minha brizola. Do mesmo modo como
tu tá me dando autorização de ficar aqui com a minha Iemanjá.

— Iemanjá, nada. Alemoa.

— A gente desenrolamos essa história depois.

— Fé em Deus.

Ernesto saiu batido. Logo em seguida, ouviu o vozeirão de
Valéria.

— Bandido, que bom que tu tá vivo.

— Tira a roupa.

— Como?

— Faz um strip pra mim.

— Agora?

— Agora mesmo, não. Espera que o Ernesto tá vindo aqui.
Mas logo assim que ele sair eu quero te ver nua.

— Tu tá achando que eu sou o quê, bandido?

— A mulher mais linda do mundo. Enquanto eu não te vê nua, nem Deus nem o Diabo podem me levar daqui.

— Teu problema não é Deus nem o Diabo. Teu problema é o Comando e os desipes.

— Antes de eu ver tuas carnes, nem eles vão poder comigo.

— Por que tu não pede seguro?

— Porque isso não existe em cadeia de Comando. Quando eles quer pegar alguém, não adianta ir pro seguro. Com qualquer 10 contos, os SOE vende qualquer coisa pros chefões. Incrusive minha cabeça.

— Acho melhor a gente não se vê nunca mais, bandido.

— Prefiro morrer, Vida.

— Mas bandido, tu mal me conhece.

— Basta uma colher da feijoada pra nós saber o banquete que vai ter pela frente.

— Eu te disse que existe uma maldição comigo. Te afasta enquanto é tempo.

— Eu bem que gostaria de dizer isso pro meu coração. Mas ele é teimoso. Não ouve nem as ordens do marechal do Comando, Vida.

Os dois riram. Depois fizeram um silêncio de bem uns cinco minutos. Nos primeiros momentos, os olhos dos dois se procuraram como se ambos fossem vigias de uma das bocas mais quentes da cidade, onde a qualquer momento a polícia pudesse entrar derrubando portas com a sola das botas, dando tapas na cara, atirando pra matar. Mas o coração não é como o paiol da favela, que a gente guarda com fuzis AR-15 e olheiros equipados com walkie-talkie. Era apenas um desconhecido para eles, e, exatamente por ignorar as suas pulsações e o seu ritmo frenético, foi que a princípio o trataram com tanta desconfiança. Mas aquele nervoso foi passando à medida que adentravam as perigosas vielas da paixão e seus olhos aos poucos foram se acostumando com a estranha luminosidade que emana daquele mundo inteiramente novo, no qual apenas os bandidos mais experimentados conseguiriam sobreviver.

— Eu truxe a calcinha e o cacho dos cabelos que tu pediu — disse Valéria, quebrando o silêncio.

— Então, joga.

— Mas se eu jogar vai ficar no meio do caminho.

— Tu realmente não conhece a vida aqui no comprexo.

— Que não conheço o quê, bandido?

— Craro que não. Tu entende é de cadeia de mulher, aquela que tu pegou lá em Bangu. Se tu subesse como é a vida aqui, tu sabia que as correspondentes fazem strip pros bandidos do Setor B e que, pra mandar uma calcinha, a gente faz uma teresa e taca daí.

— Pois eu vou jogar é na tua cabeça pra tu parar de falar besteira.

Banana e Ernesto anunciaram a sua chegada arrastando o chinelo pelo chão do corredor. Marquinho fez um gesto pedindo um tempo para Valéria.

— Olha a parada aqui, irmão — disse Ernesto.

— Tá beleza.

Marquinho se encostou no parapeito da janela do cubículo e abriu o sacolé.

— Tu vai meter o nariz agora?

— Tu quer uma rapa?

— Tomei um abuso disso, mas acho que hoje eu vou querer. — Ela fez uma breve pausa, durante a qual abriu um sorriso encabulado. — É que eu nunca fiz um strip.

Marquinho cheirou uma carreira e preparou um sacolé pra Valéria, atirando-o em seguida em uma teresa. Ela pegou o pó e usou a mesma teresa pra mandar a calcinha e um cacho dos seus cabelos. Ele desembrulhou o pacote que ela fez e começou a cheirar a calcinha.

— É tão cheirosa quanto eu pensava.

— Hoje eu vou cheirar com tu, mas pra tu ser meu homem tu vai ter que parar com essa de pó — disse Valéria com um tom maternal.

— A gente só vivemos um dia de cada vez. E agora eu só quero saber de te ver nua.

— Ninguém vai ficar de olho na gente, não?

— Tu não sabe o que é uma cadeia de Comando, Iemanjá. Marear a visita dos outros dá em morte.

— É, mas vocês adora um lasquinê.

— Depois de tudo que eu tô passando por causo do nosso amor, tu não acha que eu vou te usar pra dar punheta pros irmãos do Comando.

— Eu não acredito em nenhum desses cu vermelho.

— Dá pra esquecer pelo menos agora que tu é três cu?

— Só se tu esquecer que é cu vermelho.

— Assim tu vai morrer.

— Se eu tivesse preocupada com isso, não taria aqui com tu.

— Então fecha a tua comarca com um lençol e começa logo esse strip, que eu não tou güentando mais de tanta espera.

NO CORAÇÃO DO COMANDO 65

Valéria fechou a comarca, cheirou uma rapa e começou a tirar a roupa. Primeiro foi a blusa, por baixo da qual se escondia um par de peitos pontiagudos, que só não eram perfeitos porque neles havia marcas de crianças que o mamaram. Ela os alisou com delicadeza, começando a se masturbar. Marquinho acompanhava seus movimentos sem tirar a calcinha do nariz. De repente, ela parou.

— Por que tu não faz a mesma coisa pra mim? Eu quero ver teu pau.

Marquinho se ajeitou na grade e fez o que ela estava pedindo. Durante horas, descobriram um prazer igualmente estranho e intenso. Ela fez tudo o que ele lhe pediu, fazendo da sua mão uma extensão da dele. Ele também atendeu a todos os desejos dela, que logo foram enunciados com despudor. Quando voltou para o seu cubículo, estava exausto de tantos orgasmos, mas era um homem plenamente satisfeito.

— Agora posso morrer em paz — disse antes de adormecer.

CAPÍTULO 9

Marquinho acordou assustado com a movimentação dentro do cubículo, achando que tinha chegado a sua hora. Mas não era nada disso. Ainda bem.

— Que que aconteceu, Banana? — perguntou, irritado.

O amigo contou que Ernesto tinha ido para o castigo, pois o SOE vira a cena de sexo que ocorrera no cubículo dele e a denunciou para a diretoria.

— O pior de tudo — acrescentou — é que vão dizer pra visita dele, que vai ser cortada enquanto ele estiver no cartigo, que ele arrumou uma correspondente no Nelson Hungria.

Marquinho imaginou o problemão que o amigo ia enfrentar com a esposa — que era ciumenta até mais não poder. Tinha que agir imediatamente.

— Tu sabe qual foi o SOE que deu o fragante? — perguntou.

O Banana deu o nome do SOE, o mesmo que flagrara Marquinho conversando com a Valéria no telhado do Nelson

68   JULIO LUDEMIR

Hungria e que facilitara a remessa dos presentes com que conquistara o coração da sua morena dos cabelos de henê. Tinha que se apressar, pois o plantão dele estava chegando ao fim.

— Fé em Deus, chefia — disse Marquinho quando chegou à sala da segurança.

— Porra, Marcelinho, quantas vezes eu vou ter que te dizer que não gosto dessa história de fé em Deus?

— Foi mal, chefia. É que eu tava tão agoniado que até esqueci que o senhor é funcionaro.

— Não me diga que é problema de novo com a Iemanjá?

Marquinho disse que sim.

— Tanto é assim que o amigo pegou um cartigo no meu lugar — explicou. — Não é querendo desfazer dos olhos do funcionaro, mas quem estava se masturbando no cubico do Ernesto era eu.

— Não acredito — disse o SOE, levantando-se da cadeira.

Marquinho baixou a cabeça e retesou o corpo, reforçando a base para suportar o tapão que com certeza viria do outro lado. Essa tinha sido mais uma das muitas lições que aprendera na cadeia — a de que, para não ser esculachado pelo funcionário, tinha que tratá-lo com o devido respeito. E para isso precisava admitir seus erros e aceitar quando ele fazia as cobranças que tinha direito. Era o caso agora. Marquinho pisara na bola — segundo as regras do Desipe, não as suas, é claro. Quando o SOE está no direito dele, ele agüenta o tranco calado. Age assim para, quando estiver na sua moral, ter o direito de dizer que a chefia não está podendo.

Como o tapão que imaginava que levaria estava demorando muito, Marquinho abriu os olhos para ver o que estava

NO CORAÇÃO DO COMANDO 69

acontecendo. E se surpreendeu ao dar de cara com o funcionário com um sorriso de orelha a orelha.

— Pois pode acreditar, chefia. Essa é a mais pura verdade. Pode tirar o irmão do cartigo e me levar pra lá.

— Olha, Marcelinho, você é o primeiro cara em todos os meus anos de cadeia que assume uma parada dessas. E para que você nunca se arrependa disso, está vendo aqui, oh — disse ele pegando o papel com a queixa contra o Ernesto. — Vou rasgar.

Mas ele não parou aí. Para surpresa de Marquinho, o funcionário pediu para que o acompanhasse até uma cela vazia, que ficava ao lado do cubículo do Ernesto, de frente para a Galeria 6 do Nelson Hungria.

— Aí, Marcelinho — disse o funcionário, abrindo a cela.

— É toda sua. Pra você namorar em paz com a Valéria. Pode ir buscar teus mijados e se instalar aqui.

— E o comemorando?

— Como, Marcelinho?

— O comemorando, chefia. A papelada pra transferência de cubico.

— Pode deixar a burocracia dessa transferência por minha conta, Marcelinho.

O funcionário deu um tapinha nas suas costas e se retirou, deixando para trás um Marquinho que não cabia em si de tanto contentamento.

— Vida — gritou da grade. — Iemanjá.

As meninas do Nelson Hungria apareceram na grade, pedindo para que ele fizesse silêncio. A fera está dormindo, avisaram. Tinham medo de que, ao ter o seu sono interrompido, ela passasse o dia de mau humor. E ninguém estava disposto a correr esse risco. Exceto o Marquinho.

— Pode acordar tranqüila. Eu sei que ela vai gostar da notiça que tenho pra dar.

Como não conseguiu convencer as meninas, resolveu fazer sua mudança. Quando ela acordasse, veria as boas novas com seus próprios olhos. Poderiam namorar o dia todo. E de noite ainda poderiam fazer o sexo deles. Que na certa não era o melhor do mundo, mas com o qual obtinham um tipo de prazer dos mais especiais. Ver um corpo como aquele nu era um privilégio que Marquinho ainda não tivera — e olhe que mulher bonita e gostosa é uma das especialidades da casa.

— Que que tu tá fazendo aí, bandido? — perguntou Valéria quando acordou, ao vê-lo arrumando o cubículo em frente ao seu.

— Essa é a minha nova casa — disse ele, feliz da vida.

Passaram a tarde conversando potoca, falando de coisas pelas quais apenas os apaixonados podem se interessar, estejam eles num engarrafamento na avenida Paulista, passeando em Paris às margens da Sena ou em uma fétida cadeia do Rio de Janeiro. O fato de ele ser filho de Antônio Mal e Sete Encruzilhadas, por exemplo, deixou-a simplesmente encantada, muito embora Valéria nunca tenha gostado de macumba. Ela em seguida deixou-o com o coração partido quando contou do filho que perdeu no dia que foi presa, por causa dos chutes que levou na barriga do delegado Hélio Vígio, que devia agradecer a Deus por estar Marquinho atrás das grades, pois, do contrário, começaria a caçá-lo tão logo acabasse a magia desse dia e só pararia depois de vingar a dor sentida e remoída por sua amada.

NO CORAÇÃO DO COMANDO 71

O tempo se arrastou enquanto trocavam histórias como, pensou ela, meninas brincando de casinha ou como, pensou ele, garotos correndo atrás de uma bola, sem perceber que o mundo gira, os minutos passam e a noite chega com o canto dos pássaros e o brilho das estrelas. E quando escureceu, Valéria já sabia como Marquinho tinha perdido a boca do morro da União para Bira Presidente, mas que algum dia ele iria correr atrás do prejuízo, não queria ela, que é tão valente, participar da invasão, trocar tiros ao seu lado? Ela não apenas disse que já é, como também se mostrou compreensiva quando ele revelou que não gostava da sensação de poderoso chefão que uma boca-de-fumo dá, atraindo tudo que é tipo de gente só por interesse, como foi o caso da sua família, que o visitou todos os fins de semana para lhe pedir dinheiro durante o período em que controlou o tráfico na sua favela. E aí ele disse assim, olhando fixo nos olhos dela como se lhe estivesse apontando um oitão: é bom ter alguém pra ouvir essas coisas que a gente traz trancadas no coração, como se ele também vivesse preso.

Uma pipa do Flamengo bailou toda prosa no céu do São Carlos e Valéria, criada no morro de que se podia ver dali do complexo, também abriu as portas do coração, deixando que Marquinho Neguinho entrasse e nele fizesse sala. E foi confortavelmente sentado ali que ele soube do tempo em que ela estava pedidaça, não podendo parar mais de uma noite em um lugar, os home fungando no seu cangote. Vivia como uma hippie, lembrou rindo, com uma mistura de orgulho e deboche. Um belo dia, acordava em um hotel de bacana lá de Angra dos Reis e, no seguinte, em um mofado hotel de beira de estrada na Dutra. Às vezes, fazia suas travessias montada em uma moto que algum otário deixava à toa enquanto ia fazer um xixi no mato. Noutras, rasgava o ventre do mundo num ônibus da Itapemirim. Eram altas aventuras, disse depois de uma breve pausa que fez para procurar referências para o que tinha sentido naquela época. E tinha sido alguma coisa mais ou menos como o que estava sentindo naquele momento, o coração fazendo baticumbum dentro do peito, como ela envergonhadamente admitiu. Porque amar também é altas aventuras.

É verdade que amar tem coisas como o tal do Jiló, o negão com borogodó que ela conheceu em uma das noites em que voltou de algum 157 com a Andréa, a sua amigona desde a época da Gangue da Zona Sul e que Deus enfim a tinha colocado em seu caminho de novo, para que uma pudesse tomar conta da outra. Amou muito aquele cara e com ele viveu emoções arrebatadoras, tão fortes como aquela que sentiu no dia em que um puliça entrou sem querer na agência do banco que tava metendo, cujos miolos ela estourou com um balaço porque se não fosse assim seria ela que cairia. Pra se dar bem, o bandido tem que estar totalmente concentrado no que está fazendo, vivendo aquele momento em que está fazendo um 157 não como se aquele pudesse ser o último, mas sim como se ele fosse o único, como se a vida começasse e terminasse ali, como se não houvesse nada mais que pudesse ser feito naquele momento. Foi por isso que percebeu quando a imagem do puliça apareceu de relance na lente dos óculos escuros do caixa que estava enquadrando com sua reluzente pistola de prata, porque estava de corpo inteiro ali, plena como os orgasmos que teve ao ter o seu ventre rasgado pela

NO CORAÇÃO DO COMANDO 73

piroca preta do Jiló. Não é à toa que as pessoas têm tanto medo de amar, tá ligado, bandido? Até mesmo os bandidos peidam nessas horas, acrescentou ela com seu sorriso espalhafatoso.

— Última volta do ponteiro — gritou lá de dentro o ligação central.

Os olhos de Marquinho, cujo peitoral musculoso estava nu, procuraram uma camisa dentro do cubículo. Valéria, que estava vivendo plenamente aquele momento, percebeu a fuga dos olhos dele. Sabia que ele, soldado de muitos anos da facção, estava pensando que tinha chegado a hora de conversar com o Supremo, coisa que quem é do Comando só faz estando de camisa, de um modo tão respeitoso como se estivesse na frente de uma visita ou de uma autoridade.

— Se parar pra rezar a oração dos cu vermelho, tu nunca mais vai ver a minha fuça, bandido — ameaçou Valéria.

— Mas eu sou da facção — disse ele, sem muita convicção.

— Não, bandido, nosso comando é tu e eu e eu e tu, tá ligado? Se tu quiser, amar pra mim é assim.

Marquinho sabia que estava comprando mais um barulho com o Comando, que costuma ser implacável com os infiéis que não param para orar às seis da noite. Outra vez, porém, a iminência da morte só fez com que aumentasse o amor de Marquinho pela vida. Não pela vida e sua monótona sucessão de momentos repetitivos. Mas por uma vida que estava acontecendo ali e tão-somente ali, enquanto os seus olhos piscavam. E isso fez com que seu pau ficasse duro como uma rocha.

— Tira a roupa — ordenou ele.

— Não — respondeu ela.

— Fiquei louco de tesão.

— Não mais do que eu.

— Então, por que tu não deixa eu ver tuas bonitezas?

— Porque eu quero muito mais.

— Mas isso é tudo que a gente podemos ter no momento.

— Não. A gente podemos muito mais. É só não peidar.

Valéria sumiu por um breve momento e quando reapareceu trazia em seu rosto um sorriso malicioso, provocativo. Preso a ele, Marquinho quase não viu a gilete que ela tinha em uma das mãos, com a qual cortou um dos pulsos. Quando deu por si, o sangue já estava jorrando pelos braços da morena, pelo batente da janela, pelas sendas da vida.

— Que que é isso, Iemanjá? Pirou?

— Pode crer que sim, bandido. Eu tô é pirada de amor. E é por isso que não vou ficar me satisfazendo com punhetinhas contigo. Deus não premeia os covardes. Se tu quiser alguma coisa comigo, inventa qualquer coisa e me encontra lá no hospital do comprexo agorinha mesmo, que foi pra isso que eu mandei a gilete no pulso. Ou então esquece que eu existo.

O coletivo começou a oração. Paz — gritaram a plenos pulmões enquanto Marquinho olhava pra garrafa de uísque pensando em quebrá-la contra a própria cabeça e ter o pretexto de que precisava para encontrar Valéria no hospital do complexo. Justiça — continuaram a oração enquanto ele rapidamente achou que não seria preciso exagerar. Liberdade — era acima de tudo um bandido, bastava fazer de conta que estava sentindo fortes dores no peito, chefia, precisava ver um médico imediatamente. Esperou então as últimas palavras de ordem

(Comando Vermelho, RL, Fé em Deus, Fé nas crianças) para começar a gritar uma dor que, embora fingida, era mais sincera do que todas as outras que sentiu em sua vida, inclusive aquelas de balas perdidas que se encontraram no seu corpo, bem umas cinco. Ai, caralho, não sabia que amar doía tanto assim, chefia.

CAPÍTULO 10

O Hospital Central sempre foi um dos pontos mais importantes do sistema penitenciário do ponto de vista do Comando. Lá é o ponto de distribuição das informações da facção. Foi por causa dele que o Setor B se tornou tão importante. Porque, mesmo estando os grandes chefões do tráfico em Bangu I, eles de lá não têm como fazer andar as suas ordens com a necessária velocidade. Até o advento do celular, eles precisavam de emissários que nem sempre estavam de prontidão, como advogados, religiosos ou mesmo funcionários do Desipe. E mesmo depois que os brinquedos começaram a entrar no sistema, nem sempre se pode depender deles, já que podem ser tomados a qualquer momento pelos próprios agentes penitenciários que os vendem ou mesmo estar grampeados. Já no Setor B, basta mandar um toque para o Maracanã, nome pelo qual é conhecido o ambulatório onde se concentram presos de todas as cadeias e facções do Rio de Janeiro. Tem sempre alguém indo ou vindo para o presídio a ou b, que pode levar ou trazer a informação desejada para o destinatário certo. É por isso que os médicos estão sempre desconfiando dos presos que chegam ali, que em sua maioria estão mais interessados em cumprir uma missão do que em buscar tratamento.

— Que foi que houve, Marcelinho? — perguntou o Dr. Mário, o médico de plantão.

— Dor, doutor, muita dor — respondeu Marquinho, choramingando.

Todo preso sempre está desesperado, os médicos sabem. Muitas vezes, não estão fazendo teatro, mas é com freqüência que simulam os mais diversos tipos de crise. Agem dessa forma pelas mais variadas razões, que vão da prosaica mania brasileira de levar vantagem em tudo e a dificuldade que temos de respeitar filas, passam pelo pânico de tomar uma coça do Comando e terminam nas escusas missões que desempenham para o tráfico de drogas. Mas o doutor Mário, velho conhecido de Marquinho, jamais viu um paciente fingindo-se de doente só para ver uma mulher no Hospital Central.

— O que é que tá pegando, Marcelinho? — perguntou o médico depois de examiná-lo.

— Eu não sei, doutor. De repente, eu comecei a sentir dores por todo o corpo.

— Marcelinho, você não tem nada.

Marquinho tentou disfarçar um sorriso sem-vergonha, desses que se abrem em nosso rosto quando somos flagrados em uma tremenda mentira.

— Será que é neurose de cadeia? — perguntou, sonso.

O médico lançou um olhar paternal para Marquinho.

— Marcelinho, eu vou te receitar uns tranqüilizantes e te deixar repousando dois dias no hospital. Só espero não me decepcionar depois.

— Poxa, doutor, obrigado mesmo, o senhor não sabe como eu tava precisado de uns dias sendo cuidado pelas enfermeiras daqui do hospital.

Marquinho botou a roupa e saiu da sala do médico. Foi direto para o Maracanã, onde à direita do corredor tinha o quarto das mulheres e à esquerda, o dos homens. É óbvio que ele foi no quarto das mulheres.

— Oi — disse Valéria com uma candura de que ele não acreditou que ela fosse capaz.

— Como é que tá a sua mão, Vida? — perguntou, aproximando-se.

Ela estendeu o braço com o curativo, que ele beijou como se estivesse diante de uma criança traquina que tivesse se machucado fazendo uma travessura.

— Levei seis pontos — disse ela.

O carinho paternal logo se tornou malicioso e a respiração dos dois começou a se alterar. Junto com a excitação, porém, veio um nervosismo que os impediu de se manifestar livremente. Eram como adolescentes descobrindo o que mais desejavam na vida, mas que, exatamente pela sua grandeza e intensidade, se tornava assustador. Beijaram-se desajeitados e atrapalhados terminaram não tomando o devido cuidado com o machucado dela.

— Ai — gritou Valéria.

O doutor Mário entrou no quarto.

— Como vai a minha... — disse ele. — Ah, agora eu entendo o que o Marcelinho está fazendo neste hospital. Só podia ser.

— Não é nada disso, doutor.

— O que é então, Marcelinho?

— Bom — disse ele, silenciando em seguida.

A iniciativa que faltou em Marcelinho sobrou em Valéria.

— Se o senhor quiser botar nós na tranca porque a gente estamos se beijando, então demorou — disse ela, puxando Marquinho para si.

— Isso não é problema meu — disse o médico. — Isso é problema da segurança. Eu só estou aqui para cuidar da saúde dos pacientes.

— E eu pra cuidar do meu estresse — brincou Marquinho.

Os três riram.

— Eu nunca soube que beijo cura estresse, mas acho que estou precisando estudar um pouco mais.

O médico se aproximou de Valéria e olhou o curativo com um ar profissional.

— Bom, agora o Marcelinho vai deixar a gente trabalhar, não vai?

Marquinho fez um gesto de protesto, mas saiu em seguida.

Na porta do quarto, cruzou com Jiló, um comédia da Mineira que ele conhecia de anos atrás dali mesmo do Setor B. Lembrou-se que Valéria tinha dançado porque ele a entregara para os home, mas o ódio que se esgueirou pelas veias de seu coração logo foi dominado por um sentimento de total desprezo. Não iria perder o tempo que podia dedicar à visão da

NO CORAÇÃO DO COMANDO 81

sua Iemanjá com a imagem de um cara que vivia levando tapa na cara do coletivo e que só não foi feito garoto da rapaziada porque caíra nas graças de Isaías do Borel.

— Fé em Deus, Neguinho — disse Jiló, que trazia em seu corpo visíveis marcas do pau que levara de Hélio Vígio, o temível delegado da DAS (Delegacia Anti-Seqüestro).

— Fé em Deus, chefia. E aí, como é que tão as coisas?

Marquinho sabia que ele, que entrara na cadeia como um reles quebra-peça, saíra de lá com a missão de retomar o morro da Mineira, que, por estar a uma rua de distância do Coroa, vive em permanente guerra com o Terceiro. Mas comédia é comédia, seja ele um caidinho da cadeia ou um poderoso chefão do tráfico. E não foi diferente com Jiló, que, mesmo contando com os melhores braços da facção, só conseguiu manter a bandeira do Comando Vermelho na favela da Mineira desembolsando verdadeiras fortunas para o batalhão da área. Mas se o arrego era suficiente para conter as invasões do Terceiro, ele, junto com o alto pedágio cobrado pela facção para deixar o morro sob sua responsa e as voltas em cima de voltas que tomou dos seus vapores, terminou quebrando a boca. No desespero, ele apelou para o seqüestro e agora estava ali, agarrado.

— De onde é que tu conhece aquela dona? — perguntou Jiló.

— De lá do Nelson Hungria — respondeu Marquinho.

— Tu sabe de quem ela é sobrinha?

— Quem não sabe? — disse Marquinho, afastando-se em seguida para a sua cama. Foi a maneira que encontrou para não dar assunto ao Jiló, aquele comédia.

Quando deitou, fechou os olhos e logo foi tomado por um turbilhão de imagens e sensações, todas elas referentes a Valéria. Acima de tudo, porém, via o que não estava ao alcance de nenhum mortal que não conhece o fulminante poder da paixão — a droga mais pesada que conhecera em sua vida, capaz de fazê-lo enxergar a pele de um corpanzil negro arrepiando cada um dos poucos pêlos que tem à medida que sua dona deslizava as mãos por ele, percorrendo-lhe os braços como se estivesse surfando uma onda no mar no qual se esbaldara em longas e vadias manhãs de sua infância hoje remota no tempo, mas presente no coração. Aquelas mãos, que passearam por seus braços por breves segundos, deixaram rastros em Marquinho, que agora os acompanha como se estivesse procurando uma pista de perigosos bandidos em sua área, até achá-los escondidos entre os músculos do seu apertado coração.

— Marcelinho — disse o médico com uma voz profissional, trazendo-o do recém-descoberto mundo da paixão para este triste mundo em preto-e-branco no qual vivemos.

— Han — disse Marquinho, assustado.

— Onde é que você estava, Marcelinho?

— Posso ser sincero, doutor?

O médico assentiu.

— Nos braços da minha dona, doutor.

O médico riu.

— Eu vou dar esse Diazepam pra você tomar hoje, mas amanhã depois do almoço você volta pro Milton Dias Moreira, tá bem?

— Doutor, em primeiro lugar, o senhor que tem todos esses anos de cadeia já devia saber as neuroses da gente, que

NO CORAÇÃO DO COMANDO

não tomamos remédio nenhum, mas bebemos. O senhor sabe muito bem que quem toma alguma coisa é os garotos.

— E em segundo lugar? — perguntou o médico.

— Em segundo lugar, doutor, nós já combinou que eu ia ficar dois dias com a minha Vida aqui no hospital.

— Não, Marcelinho. O que nós combinamos foi que você passaria dois dias repousando do que você chamou de neurose de cadeia. Mas nós já sabemos que não é por causa de nenhum estresse que você está aqui.

— Doutor, me adisculpe falar desse jeito com o senhor, que sempre foi 100% com nós, bandidos. Mas tem uma mulher atrás daquela porta que meteu uma gilete nos pulsos só pra me ver de pertinho, pra sentir o calor do meu corpo, o gosto azedo da minha língua de negão. Eu não posso decepcionar uma dona capaz desse amor todo. Doutor, eu sou bandido, tenho um nome a zelar no mundo do crime, não posso sair daqui sem morder aquele pedaço de mau caminho. É uma questã muita da séria, doutor. É uma questã de honra, doutor. O senhor sabe o que é a honra de um bandido?

O doutor Mário tinha longos anos de cadeia, nela já trabalhava quando Marquinho Neguinho chegou no Edgar Costa precedido de uma fama que apenas os leitores de jornais populares podiam acreditar, absolutamente incompatível com a realidade de um moleque travesso, que saía armado para a noite com o mesmo espírito com que driblava a linha de zagueiros que tentavam marcá-lo nas peladas da favela, porque havia uma torcida que precisava fazer festa, gritar olé, alimentar ídolos. O médico, que entrara ali como todo mundo, achando que a sociedade precisava construir muros sólidos e indevassáveis para se proteger daquela horda cada vez maior de párias psicopatas, descobrira que o humano não era uma exclusividade de alguns poucos cidadãos privilegiados. Ser humano, e ter uma cultura e um sentimento de honra e inclusive a sagrada capacidade de amar, é algo inerente à vida em sociedade, qualquer que seja ela. Foram muitos os exemplos que testemunhara com os seus próprios sentidos, e um dos mais acabados estava ali na sua frente — Marcos Antônio Guedes da Silva, que os agentes penitenciários chamavam de Marcelinho, seus comparsas do Comando Vermelho de Neguinho e a mídia, hoje esquecida dele, de Marquinho Neguinho. Era por isso que estava vivo. Por causa dos valores e das regras que aprendera na cadeia, seguindo-os como se fossem iluminados ensinamentos bíblicos.

— Vou te dar dois dias aqui — disse ele como se estivesse arrancando o carnegão de um tumor dentro de seu peito, sabendo que, para reconhecer a humanidade em Marquinho, estava infringindo seus próprios códigos. — O resto é contigo mesmo.

— Valeu, chefia. Valeu mesmo.

O médico deu boa-noite para todos e se foi. Marquinho voltou para seus devaneios, único lugar onde seu coração apaixonado se sentia à vontade quando estava sem sua dona. Assim ficou até que todos tomassem seu Diazepam e adormecessem, quando se levantou na ponta dos pés e caminhou com a cautela de quem está arrombando uma caxanga até divisar a mais exuberante paisagem do mundo — o corpo da sua Iemanjá.

NO CORAÇÃO DO COMANDO

— Vida — sussurrou ele, cobrindo-lhe a boca para que o susto de ser acordada no meio da noite não a fizesse gritar. Valéria acordou. Os dois beijaram-se primeiramente com afeto, depois com calor. Depois foram para debaixo da cama dela. Começava assim, mansa e silenciosamente, a mais quente noite de amor da história do sistema penal carioca.

CAPÍTULO 11

Jiló teve muita dificuldade para aguardar os dois dias que Marquinho e Valéria passaram se beijando pelos corredores do Hospital Central, em uma tórrida lua-de-mel. Mas vinha com uma missão de Bangu III — avisar que era para o Japonês entregar a cadeia para o Zé Gordo, muito embora esse último estivesse para ser transferido para o Edgar Costa, a semi-aberta do Comando. A ordem lhe fora dada diretamente pelo Isaías, que, por causa da importância da guerra do São Carlos, tinha se tornado uma das principais lideranças do Comando. Jiló tinha consciência de que sua moral estava em baixa com as dificuldades que enfrentou para manter a Mineira nas mãos da facção, mas ainda assim aproveitou o embalo e resolveu incluir no pacote uma ordem para que o próprio Marquinho despachasse Valéria, misturando formicida ao pó que ele, exibido toda vida, está sempre apresentando para as suas mulheres. Ela ia ver o que era bom para tosse. Ela e qualquer cachorra que resolvesse tirar onda com sua cara — agora que está assim com a cúpula do Comando.

— Que que tu quer? — perguntou Valéria, ao ver Jiló entrando furtivamente no Maracanã feminino.

Jiló tentou beijá-la, mas Valéria virou o rosto.

— Tem dono — disse ela, sabendo que nada poderia feri-lo mais do que essa frase.

Ele, que se sentiu roubado ao vê-la aos beijos com Marquinho, insistiu. Ela, que ainda trazia na pele o calor das mãos de Marquinho, resistiu.

— Eu sei, sou eu.

Valéria, que conhecia todos os seus pontos fracos, riu. Riu só para provocá-lo.

— Tu é comédia mesmo. Tu me mata de rir com tuas palhaçadas.

Jiló segurou-a pelos braços — o ferido inclusive, que começou a sangrar.

— Seu filho da puta covarde — gritou ela, soltando a mão na cara dele. — Por que não foi homem na frente do Marquinho?

O Maracanã, o mesmo que testemunhara em silêncio os tórridos momentos de paixão entre Marquinho e Valéria, acordou sobressaltado.

— Piranha do três cu — gritou, partindo para cima dela.

Mas Jiló ainda não tinha se recuperado das longas sessões de tortura que sofrera nas mãos de Hélio Vígio e sua equipe. Valéria, que sempre brigou como um homem, soube tirar vantagem da sua fragilidade e passou-lhe uma rasteira.

— Seu cu vermelho de merda — disse ela ao vê-lo de cara

NO CORAÇÃO DO COMANDO 89

no chão, armando o bico que daria na sua cara. — Tu tá precisando passar uns tempos em um morro do Terceiro. Talvez assim tu aprenda a brigar que nem um homem.

Mas Valéria foi muito autoconfiante e deu o tempo de que ele precisava para segurar o seu pé e derrubá-la. Quando ela foi para o chão, ele subiu em cima dela e a imobilizou com os joelhos.

— Tu pode até não ser minha — disse ele, fechando a mão com que iria dar-lhe o golpe de misericórdia. — Mas também não vai ser de mais ninguém.

O primeiro soco, que ele endereçou no queixo, só pegou de raspão porque na última hora Valéria conseguiu virar o rosto.

— Tu acha que eu não sei que tu me dedurou pros home porque tava com medo que eu fosse te deixar com tu aqui dentro e eu lá fora? Só podia ser um cu vermelho mesmo. Imagina se um macho do Terceiro ia fazer uma coisa dessas.

— Mas o Neguinho é do Comando. Ele é irmão desde a época da Falange.

Valéria engatilhou o confere — o tiro de misericórdia.

— O Marquinho é um home de verdade, deve ser o único cu vermelho que se garante com uma mulher. Não é como certos comédias, não, que só consegue segurar uma mulher na mão grande.

Na mosca. Enlouquecido de ciúme, Jiló deu um novo soco visando o queixo dela. Dessa vez, ele acertou. E ela desmaiou.

— Você é só minha. De mais ninguém, ouviu?

Ele puxou seus longos cabelos e armou um novo soco, que

dessa vez seria na boca, para aniquilar com o sorriso que grudara em seu rosto desde que conheceu a paixão nos beijos de Marquinho e que ali permanecia mesmo depois do seu desmaio. Mas na última hora preferiu roubar o beijo que não conseguira dar momentos antes.

— De mais ninguém, ouviu?

CAPÍTULO 12

Quando soube do que aconteceu no hospital, Marquinho foi procurar a federação. Babava de raiva. Nem percebeu que a cúpula estava reunida, discutindo o futuro da facção.

— Fé em Deus, Ponês — disse ele, ao entrar no cubículo. — Tu tá sabendo o que o Jiló fez com a minha dona?

— Com tua dona, não, Neguinho — disse Zé Gordo. — Tu bem sabe que mulher que já pertenceu a um irmão do Comando não pode ser de mais ninguém da família!

Marquinho achou estranho o fato de Zé Gordo ter entrado no seu caminho nas fuças do Japonês. O cara não era de deixar ninguém crescer na sua frente — principalmente as pessoas que têm alguma condição de ameaçar o seu poder, nos quais ele jamais perde oportunidade de dar uma carrinhada. Alguma coisa muito séria devia estar acontecendo ali.

— E tem mais, Neguinho — acrescentou Zé Gordo, agindo como se fosse o dono da situação. — Chegou um toque lá de Bangu pra tu.

— Tô ligado — disse ele.

Zé Gordo tirou um sacolé do bolso e o jogou para Marquinho.

— Próxima vez que tu for fortalecer a Valéria é pra dar essa parada aqui.

Marquinho pegou o sacolé e o colocou no bolso.

— Isso é pra mim esquecer o socão que o comédia do Jiló deu nela, chefia?

— Não, Neguinho. Isso aí é pó com formicida. Pra você acabar com a raça da alemoa.

Marquinho se voltou para o Japonês. Em seus olhos, havia a seguinte pergunta: afinal de contas, quem é que manda nessa merda? Japonês deu de ombros, mostrando uma fraqueza que não era da sua natureza. Isso é que dava esse negócio de mulher, principalmente de paixão. Preocupado com a sua Vida, não estava acompanhando as políticas dentro da cadeia. E isso estava lhe trazendo problemas com ela.

— E se eu desconcordar da facção? — perguntou Marquinho.

— É contigo mesmo — respondeu Zé Gordo. — Agora pula fora, Neguinho, que a gente tamos desenrolando uma parada muita da séria.

Marquinho voltou a encarar o Japonês, querendo saber se ele concordava com aquilo tudo. Mas o outrora poderoso chefão da facção não era nem sombra do homem decidido e cheio de iniciativas com o qual tinha se acostumado. Ia ter que cobrar o prejuízo do seu jeito. Sem o apoio da facção.

— Vocês sabem que eu não gosto de confusão e é por isso que eu vou sair fora. Mas posso ser sincero? Vocês não estão agindo no certo comigo não.

NO CORAÇÃO DO COMANDO

Marquinho foi para o cubículo, mas não procurou a grade que dava para a cela de Valéria. Tudo o que queria era falar com ela, aquela morena de cabelos de henê, pernas roliças e uma buceta grande como a fome. Mas estava cheio de dúvidas, não podia fazer de conta que em sua cabeça só havia saudade e desejo de tê-la ali a seu lado para todo o sempre. Era o seu homem e como tal tinha obrigação de defendê-la de ataques covardes como o do comédia do Jiló, precisava cobrar aquele prejuízo de alguma forma, com ou sem o apoio da facção. Se não desse uma satisfação para a dona, ela devia mesmo era voltar para os sapatões da cadeia das mulheres. E isso ele não ia querer nunca. Principalmente depois das inesquecíveis noites que passaram gemendo baixinho embaixo das camas do Hospital Central. Também tinha a história de que o Comando pedira a sua cabeça. E do jeito que odiava os cus vermelhos, ela, se tomasse conhecimento das ameaças, ia dar um de seus shows e tornar a situação ainda mais difícil de ser desenrolada, sem a menor possibilidade de negociação. Como seu homem, era sua obrigação avisá-la de que estava correndo risco de vida, mas não podia esquecer que ficaria ainda mais exposta se lhe dissesse que a facção lhe dera uma missão. Mesmo que a missão fosse matá-la, tinha o seu compromisso como irmão, em que guardar segredo era um dos principais macetes para não apenas se manter nela, como garantir a própria vida. Inclusive essa era a lógica usada para que tentassem proibi-lo de namorar a alemoa. Para cortar pelo pé a possibilidade de o Terceiro plantar uma mulher no meio da família só para pescar informações com os comédias da facção.

— Fé em Deus, Neguinho — disse o Coroa do Arará, um dos seus maiores chapas dentro da cadeia, anunciando sua presença.

— Fé em Deus, chefia. Num é que eu tava pensando em te procurar agorinha mesmo?

O Coroa do Arará sempre trazia notícias quentes da cúpula. Toda vez que ia ter uma cobrança ou uma guerra, ele aparecia com seu jeito despretensioso, de quem só está ali para um carteado e dar umas boas cafungadas com o amigo do peito. E por mais que o pensamento estivesse nela, na morena de buceta grande como a fome, precisava saber o que estava acontecendo. Até mesmo porque hoje o seu também estava na reta do Comando.

— Hoje não é dia de sair do cubico — disse ele.

O Coroa sentou no chão e tirou um sacolé do bolso.

— Vamos jogar umas cartas?

— Tá perguntando se santo quer reza, homem? — disse Marquinho, levantando-se para pegar o baralho em um dos cafofos que mantinha no cubículo.

O Coroa bateu duas carreiras, cheirou a sua e depois passou o prato e o canudo para Marquinho.

— Quem é que vai ser pendurado? — perguntou Marquinho depois de cafungar a sua brizola.

— O Ponês e o pessoal dele.

Marquinho entendeu o clima da reunião que presenciou na federação. Ali estava sendo decidido o futuro do crime organizado no Rio de Janeiro.

— Por que vão detonar o cara?

— Disseram que era pra ele entregar a cadeia e ele respondeu que não, que da cadeia era ele quem sabia.

NO CORAÇÃO DO COMANDO 95

Marquinho esperava que mais cedo ou mais tarde isso acontecesse. O cara andava pegando pesado, as mortes eram cada vez mais freqüentes. Ninguém falava mais nada dentro de uma cadeia de Comando, com medo de bater de frente com ele — o grande patrão. E o pior de tudo é que se preciso fosse entregar alguma liderança emergente para os home, o Japonês não se fazia de rogado. Entregar não é bem a palavra, pois muitas vezes mentia e fazia intrigas para tirar do caminho as pessoas que considerava uma ameaça ao seu poder.

— Tu não tá com medo não, Coroa? — perguntou Marquinho.

— Por que eu devia de tá, Neguinho?

— Por que tu sempre foi gerente dele lá no Arará.

O Coroa do Arará olhou o jogo que lhe caíra nas mãos e fez uma cara de satisfação com a sorte que o destino lhe reservara.

— No Comando ninguém é gerente de ninguém. O cara é gerente do Comando. A gente não tamos falando de quadrilha, onde nós agrada o cara. A gente tamos falando de facção. E a facção não é eu nem tu. O CV é nós, tá ligado?

Se fosse há um mês, Marquinho estaria pensando da mesma forma que o Coroa do Arará. Essa era a única forma de se sobreviver dentro de uma cadeia de Comando. Na verdade, essa era a razão de ser do próprio Comando, que se formou dentro da Ilha Grande para dar uma ordem àquele mundo caótico, onde os presos viviam sendo roubados, esculachados, currados, esmerdalhados. Na facção, ninguém é de ninguém porque ela é de todo mundo. É por não ter indivíduos ou interesses pessoais que ela pode fortalecer cada um dos irmãos do povo do Comando, que, do mesmo modo que os seguidores de Jesus, podem dizer tudo eu posso naquele que me fortalece, como se vê pichado em algumas paredes das favelas da cidade. Mas só é fortalecido quem é capaz de entregar a vida nas mãos do Comando. A vida e o coração.

— E o meu caso? — perguntou Marquinho.

— Acho que tu vai ter que sacrificar a alemoa.

— E se eu não sacrificar?

— Vai entrar na lista dos vacilão.

O coração de Marquinho gelou. Conhecia muito bem as penas para esse tipo de crime: um pau bem dado, a morte ou virar garoto da bandidagem.

— E se eu pedir seguro, Coroa?

A implacável lógica do Coroa reduziu as opções de Marquinho a praticamente nenhuma.

— Virou comédia, Neguinho?

— Não tô te entendendo, chefia.

— Neguinho, se tu for pro seguro, o pessoal nunca mais vai deixar tu entrar nessa cadeia. E se é pra deixar de ver a alemoa, é melhor tu ao menos ficar bem com os irmão.

O Coroa bateu mais algumas carreiras e se levantou.

— Já deu minha hora — disse ele olhando pro relógio.

— Logo agora, Coroa, que eu tava começando a esvaziar os teus bolsos.

O Coroa riu. Mas não voltou atrás.

— Não quero ser pego de bobeira pelo corredor numa noite como a de hoje.

Logo depois da saída do Coroa, Valéria chamou Marquinho de lá da sua grade. Era bem possível que estivesse precisando de alguma coisa, como por exemplo um cigarro ou mesmo

NO CORAÇÃO DO COMANDO　　97

uma rapa de pó. Ou não era nada disso, estava querendo apenas um toque do seu homem, uma dessas palavras de carinho que apenas os nossos parceiros têm a sabedoria de dizer quando nosso peito lateja com as injustiças e covardias de que somos vítimas, como acabara de acontecer com ela no hospital. Qualquer que fosse a hipótese, ele teria que escolher entre ficar com o seu amor ou com o Comando.

— Oi, Vida — disse ele, depois de cinco chamados dela, com medo de que ela desse um dos seus bailes e assim chamasse a atenção dos irmãos.

Viu o olho roxo de Valéria e na mesma hora teve certeza de que, mesmo sendo insuportável a idéia de viver longe dela, preferia conviver com as facas da saudade cortando a sua jugular a ser responsável pela sua morte. Por ela, arrumaria (e peitaria) 10 mil inimigos dentro do Comando Vermelho. Mas as mãos que acariciaram todas as suas delícias ainda ontem à noite não seriam as mesmas que estenderiam o veneno que poria fim à vida que de tão plena e viçosa em Valéria mal cabia dentro de seu corpo de formas exuberantes e carnes fartas.

— Poxa, amor, já tava pensando que tu tinha esquecido de mim — choramingou ela.

— Isso nunca vai acontecer. Pode ter certeza que isso nunca vai acontecer.

Como sempre, o tempo fluiu leve como pássaros no verão enquanto conversavam sobre tudo, fazendo planos para a vida que jamais concretizariam enquanto desafiassem os comandos que mandavam na cidade, que controlavam as favelas e ameaçavam o sono das boas famílias. Mas sonhar com o impossível tinha ao menos o dom de tornar a vida dos dois imensamente feliz.

CAPÍTULO 13

Valéria viu quando Marquinho foi cercado e surrado covardemente pelos homens da federação, à frente dos quais estavam Shirley e Xaxa.

— Seus cu vermelho — gritou. — Por que não vão fazer judaria com a mãe de vocês? Mas sabia que de nada adiantaria o seu estardalhaço — os SOEs só apareceriam quando a federação acabasse o serviço. O resultado do jogo, porém, não seria dos piores. Quando querem matar, agem de outra forma, fazendo uma rodinha em torno da vítima para enforcá-la ou estocá-la em poucos segundos. E agora (como parece que os caras estavam fazendo questão que ela presenciasse) eles estavam apenas dando uma demonstração de força — batendo à vera, causando estragos, esculachando, espalhando o terror.

— Agora eu sei por que vocês separaram as cadeias por facção, seus filhos da puta. Porque se um homem do Terceiro visse uma judaria dessas não ia sobrar um de vocês em pé.

Seus gritos chamaram a atenção não dos agentes penitenciários do Setor B, mas das guardas do Nelson Hungria. Que chegaram dispostas a colocar ordem naquela bagunça.

— Que porra é essa? — perguntou uma delas, segurando-a por trás.

— As judaria dos cu vermelho, não tá vendo não? — respondeu, dando um safanão na guarda.

— Isso não é problema seu, menina — disse uma outra.

— Lógico que é, sapatão — gritou Valéria. — Eles tão batendo no meu homem.

Sabia que seria levada para a tranca, o que em geral fazia com imenso prazer depois de armar o maior banzé com os SOEs, principalmente quando deixava uns dois deles com o olho inchado. Mas não era o caso ali, pois tinha que ir cuidar do Marquinho. Que estava sendo quebrado de porrada pelos cus vermelhos e ia precisar dela. Muito.

— Deixa eu ir no hospital — pediu ela humildemente.

As agentes riram dela. E negaram. Mas Valéria não era apenas músculos e força bruta. Quando era preciso, ela também sabia ser sagaz. E logo ganhou forma um plano que poderia levá-la ao hospital.

— Tudo bem — disse ela, dando as costas para a grade onde Marquinho estava sendo espancado e voltando-se para sua comarca. — Tudo bem — disse de novo, usando um tom de voz que revelava aceitação de destinos, de que há no mundo poderes superiores aos quais a gente tem que se submeter. Depois sentou-se e ligou o rádio que estava tocando um pagode da moda. As agentes trocaram olhares a um só tempo desconfiados e aliviados, de quem achava que aquela situação estava boa

NO CORAÇÃO DO COMANDO 101

demais para ser verdade, mas ainda bem que há verdades boas.
Elas enfim relaxaram e começaram a andar na direção do portão
do alojamento, mas o grito histérico de uma das presas fez com
que se virassem rapidamente na direção da comarca de Valéria.

— E agora, tia, posso ir pro hospital? — perguntou ela,
como se em sua mão direita houvesse uma Bíblia e não a gilete com que acabara de cortar o pulso bom.

— Essa mulher é louca — gritou uma das guardas. —
Louca varrida.

As agentes fizeram cara feia, mas a levaram até o Marquinho, que chegara no Maracanã completamente moído de
porrada, mal conseguindo respirar.

— Iemanjá — disse ele, surpreendendo-se ao vê-la entrando no Maracanã masculino com um novo curativo no braço.

— Que que tu tá fazendo aqui?

Valéria riu.

— Tentei vir por bem, mas as pessoas só dão atenção a
preso quando rola sangue, tu não tá cansado de saber isso?

Vê-la ali fez com que entendesse a razão para não entregá-
la ao Comando. Teve absoluta certeza de que Valéria era a
mulher de sua vida. Que não estava ali só por estar, porque
não tinha nenhum outro lugar para estar, por ser uma prisio-
neira fudida e mal paga que para ter calcinha nova pra usar ou
uma rapa pra cheirar precisava chupar o pau de um bandido,
com o perdão dos maus modos, chefia. Se quisesse, podia ter
vida boa com o seu tio — dono de uma das maiores bocas da
cidade que estava jogando duro com ela desde que soube que
se engraçara por um alemão, negando-se até a pagar seus advogados. Havia também o fato de que, neste momento,

Marquinho estava completamente fora do contexto. Sem a menor chance de dar boa vida pra ninguém. A única coisa que tinha a oferecer naquele momento era o seu amor. Estava com 45 anos e até então nunca vira uma mulher querendo esse tipo de mercadoria.

— Eu não disse que era roubada ficar a meu lado, bandido? — disse ela, aconchegando-se no canto da cama e puxando a cabeça dele para o seu colo.

Marquinho riu. E viu como estava fraco, o corpo todo moído de porrada, doendo em tudo que é canto. Parece que o único ponto em que não tinha sido atingido era o coração. Não o coração todo, é lógico. Porque grande parte dele tinha sido tomada pelo ódio, pelo desejo de cobrar aquela judaria, vingança essa que mais cedo ou mais tarde ele ia executar, devolvendo cada um dos socos e pontapés que acabara de levar. Mas havia um lugar dentro dele que pulsava sensações plenas, cuja existência ele sequer desconfiava que existia. Será que era isso que as chatas das mulheres chamavam de amor?

— Valéria, eu adorei cada minuto que passei ao teu lado. Se isso foi uma maldição, que o diabo seja louvado. E que me deixe passar a teu lado cada um dos dias que me separa da noite que o danado vem me buscar nessa prisão que é a vida.

Ela o beijou com paixão, mas ele respondeu com um gemido não de prazer, mas de dor.

— Cuidado, Iemanjá — pediu.

Os dois riram. Ela de um modo espalhafatoso. Ele, com o comedimento que a dor obrigava.

— Eu quero fazer um pacto com tu — disse ela depois de um breve silêncio.

NO CORAÇÃO DO COMANDO 103

O coração dele bateu forte — parecia até uma daquelas pesadas mãos que o agredira agorinha mesmo. O que é que aquela mulher queria com ele?

— É só tu dizer. Topo qualquer parada ao teu lado.

Valéria se curvou, aproximando o rosto do dele. Ela começou a acariciar-lhe o rosto e foi com uma doçura de que ele jamais a imaginou capaz que ela lhe falou ao pé do ouvido.

— Não demora o dia que nós vai tá na rua, Marquinho. Não é fugindo, não, porque eu não quero viver escondida da puliça com tu. Nós vai viver junto na moral. Se for preciso, eu até lavo privada de madama. Ou então vou ser cameloa na Central. Eu faço qualquer coisa por tu, pra ganhar toda noite teus beijos na boca. Mas se esses cu vermelho vier encher o saco da gente, eu juro, eu não vou peidar, não. Eu quero trocar junto com tu. E a última bala da tua pistola, porque eu sei que eles vão vir com muito mais azeitona que nós, eu quero que tu guarde pra mim. Não vou dar o prazer de morrer na mão desses covardes, tá ligado? Eu quero que tu jure que tua última bala vai ser minha. Bem aqui, oh, no coração. Nesse coração que é só teu e de mais ninguém.

Lágrimas escorreram pelo rosto dele e junto com elas saiu de lá do mais fundo de si uma outra sensação que ele não conhecia direito, mas que desconfiava que fosse medo. Não medo de tomar porrada, de homens armados com AR-15, de passar o resto dos seus dias apodrecendo dentro de uma cadeia. Mas de perder o mais barrufado cofre que conseguira abrir em sua vida bandida. Não conseguia sequer imaginar o que seria de seus dias e de suas noites sem dar de comer para os seus olhos famintos aquele cabelão escorrendo pelos ombros, aquela boca carnuda e voraz, aquelas mãos suaves que se cruzavam sobre o seu rosto com uma leveza que ele já experimentou em algum lugar, não lembra direito qual, sabia apenas que tinha sido em um passado muito distante, talvez o colo da mãe. Foi isso o que andou procurando nas caxangas que arrombou, nos bolsos que deu pris, nas carteiras que churreou. O amor que descobrira no colo da sua Iemanjá de cabelos de henê. Sacana essa sociedade, filha da puta de justiça, que tentaram privá-lo desse tesouro multimilionário. Mas agora que o tinha em suas mãos ninguém havia de roubá-lo. Primeiro teria que passar por cima do seu cadáver.

— Eles não vão tocar em tu. Eu sei disso. Conheço o Comando a bem dizer há vinte anos. E nesse tempo todo eu nunca vi visita nenhuma ser esculachada. O Comando sempre respeitou visita. Isso o Comando continua o mesmo até hoje. No mais, não, não resta nem sombra do que o Comando foi no passado, quando nós criou a Falange lá na Ilha Grande. Mas, que Deus livre nós, se esses malucos tocar um dedo em um fio de cabelo teu, eles vão fazer de mim um monstro. Um monstro, tá ligada? Tu sabe o que é um monstro?

É lógico que Valéria sabia o que era um monstro. Ela própria assim se sentia muitas vezes, o coração remoendo ódios que iam se enroscando um no outro e crescendo como uma vontade de fazer xixi. Tinha dentro de si aquela vontade por muito pouco contida de sair atirando a esmo, de receber polícias no morro com um bico cuspindo fogo pra tudo que é lado, de tacar soda cáustica na cara dos SOEs que tentam comer as minas do Nelson Hungria, de vingar todas as dores e humilhações que passou ao longo dessa vida de sofrimentos.

NO CORAÇÃO DO COMANDO 105

— Eu sei o que é um monstro, sim. Mas eu ainda não terminei de fazer o meu pacto com tu.

— Então faz logo.

— Eu tava falando que queria que a tua última bala fosse minha. Bem aqui no coração. Mas se tu deixar eu também quero que a minha última bala seje tua. E aí nós encosta a peça um no peito do outro, conta até três e pou, pou.

— Já é, Iemanjá. É lógico que eu deixo. Deixo, não. Eu exijo.

— Pronto. Já que tu deixa, nós depois crema o corpo da gente e as cinzas a gente misturamos.

— A gente misturamos?

— Isso. A gente misturamos as cinzas. Aí a gente viramos um só. Ninguém mais vai saber o que é tu e o que é eu. E aí não vai ter mais ninguém que possa separar a gente. Nem SOE, nem cu vermelho.

A porta do Maracanã se abriu de repente, dando entrada para um sorridente doutor Mário e um preocupado funcionário.

— Como é que está o meu Romeu? — perguntou o médico.

— Como é que é, doutor? — disse Marquinho, sem se preocupar em esconder a emoção que jorrava pelos seus olhos.

— Não conhece a peça de Shakespeare?

— Não sei que marca de peça é essa, não, doutor. É um novo modelo de pistola?

— Não, Marcelinho. *Romeu e Julieta* é uma das mais importantes peças do teatro mundial. Dizem que é a mais bela história de amor da literatura.

— Que que eu tenho a ver com isso, doutor?

— É que Romeu pertencia a uma família inimiga da de Julieta. Eles morreram por causa desse amor. Por pertencerem ao Comando Vermelho e ao Terceiro Comando da época.

— É mesmo, doutor? Só espero que o juiz não resolva aumentar minha ficha criminal por causo disso.

O médico riu.

— Pelo que estou vendo, a coça não abalou o seu bom humor.

— É que eu estou com ela, doutor. Com ela, meu coração é só alegria.

— Não por muito tempo, Marcelinho — disse o funcionário.

— Sinto muito, mas mesmo sendo contra o regulamento, essa mulher só vai sair daqui por uns minutinhos, enquanto eu examino esse inédito caso da literatura médica, em que o carinho funciona como o melhor analgésico que já vi.

— Mas, doutor, eu vou ter que interrogar o preso.

— Depois a gente vê se isso é possível. Depois. Agora, a Valéria vai me dar uma licencinha pra ver o tamanho do estrago que fizeram em Marcelinho.

Valéria se levantou e o médico começou a examiná-lo. Viu depois as chapas que Marquinho tirara ao ser internado, que tinham sido anexadas ao seu prontuário. Havia algumas fraturas no corpo e um número ainda maior de hematomas, mas ele sobreviveria sem maiores seqüelas. Mais difícil seria esquecer o que na cadeia se chama de esculacho, as marcas invisíveis que cada um daqueles golpes deixara em sua alma.

— Marcelinho, por enquanto eu vou pedir para que você descanse bastante e tome, tome não, desculpe, beba esses dois remedinhos aqui agora e toda vez que sentir um pouco de dor dê dois beijos na boca da sua morena.

Ele deu boa-noite e ameaçou ir embora. Foi contido, porém, pelo funcionário.

— Doutor, e o interrogatório?

— Interrogatório, eu deixo. Mas tortura mental, não.

O médico enfim saiu, deixando Marquinho com Valéria e o funcionário.

— Valéria, dá uma licencinha, por favor?

Valéria fez cara-feia, mas obedeceu à ordem que Marquinho lhe deu com um simples olhar.

— Tá bom, eu vou sair, mas eu vou ficar na atividade, seu puliça — disse ela com seu vozeirão. — Na atividade.

O funcionário finalmente ficou a sós com Marquinho, que de repente viu o sangue borbulhando em suas veias. Estava ali uma oportunidade para carrinhar cada um dos filhos da puta que covardemente o agrediram na noite anterior. Podia muito bem ir até a delegacia mais próxima e engrossar a ficha de cada um deles com um bom 129. Isso poderia trazer um catatau de complicações para os presos que estavam prestes a ganhar um benefício da lei, como uma semi-aberta, uma visita periódica ao lar ou mesmo um trabalho extramuros. Mas era um velho conhecedor das cadeias, não desejava nem mais um dia nesse inferno nem mesmo para o seu pior inimigo.

— Funcionaro — disse Marquinho, procurando uma posição melhor na cama. — Eu sei o que o senhor tá querendo. Mas o que o senhor está querendo eu não posso dar.

— Mas Marcelinho, o pessoal da federação acabou de me procurar dizendo que era pra arrumar outra cadeia pra você, porque no Setor B você nunca mais vai poder botar o pé.

— Chefia, o senhor ainda não entendeu. Eu sou um bandido, tenho um nome a honrar no mundo do crime. Mesmo que eu nunca mais volte aqui ou que nunca mais possa entrar em uma cadeia de Comando, eu vou continuar dormindo todos os dias com a minha consciência. E ela jamais vai perdoar se um dia eu dedurar um irmão.

Tinha absoluta certeza de que essa era a razão para jamais ter trocado facas. Trazia consigo milhares de neurose de cadeia, às quais a surra que acabara de levar seria acrescentada como mais uma em uma lista interminável. No dia que saísse, iria cobrar isso e muitas coisas mais. Tinha o travesti do Vítor Macaco, tinha o juiz que o condenara à revelia sendo ele ainda um menor, tinha o filho da puta do Bira Presidente que atirara em seu filho e ficara com a sua boca, tinha também os chefões do Comando que ousassem tocar um dedo em um fio de cabelo na Iemanjá. Mas faria tudo no seu tempo, demorasse isso um dia ou dez anos. Porque o que é do homem o bicho não come.

Ouviram-se então os tiros que explodiram os miolos do Japonês e deram início a uma nova era dentro dos presídios do Comando.

— Que foi isso? — perguntou o funcionário, assustado.

— Foi a resposta do Comando a quem faz acordos escrotos com a puliça.

E a resposta veio do modo mais cruel possível, à altura das judarias com que o Japonês vinha destruindo o prestígio do Comando junto à massa carcerária. Houve de tudo em sua execução, de tiros pelas costas a violentas pauladas dadas em sua cabeça até deixá-la amorfa, tão desfigurada quanto ficara

NO CORAÇÃO DO COMANDO 109

a facção ao longo do tempo em que ele a controlou. O ódio contra ele chegou a um ponto tal que, para se verem livres dele, os irmãos desrespeitaram um dos mais sagrados mandamentos do CV, que é o de manter a cadeia tranqüila nos dias de visita. Mas essa seria a única maneira de pegá-lo não apenas desarmado como também sem sua entourage de capangas, que num outro dia qualquer faria sua cobertura no momento em que ele se abaixasse para amarrar o cadarço do tênis. O pessoal do Zé Gordo, para resgatar as principais tradições da velha Falange, mandou pras picas uma das poucas leis que o Japonês obedecia. Não é de hoje que vagabundo acredita que os fins justificam os meios.

CAPÍTULO 14

Passaram-se quase sete meses do dia em que mataram o Japonês, mas bem parecia que tudo tinha acontecido há uma eternidade. Naquela mesma noite, Marquinho chegou a tentar suicídio em um cinturão que não resistiu ao peso do seu corpanzil, achando que não valia a pena continuar vivo se ia ter que acordar e dormir em um cubículo longe do Nelson Hungria, onde todas as horas do seu dia eram iluminadas pela beleza de Valéria, a sua Iemanjá. Depois disso, foi transferido para o Edgar Costa, cujo coletivo, mesmo sendo do Comando Vermelho, o aceitou pela simples razão de que, lá, não havia a menor possibilidade de ele conviver com uma mulher que estava presa em uma cadeia distante bem uns 30 quilômetros. O resto ficou por conta da própria facção, cujos irmãos não perderam nenhuma oportunidade de esmerdalhar até mesmo as memórias que guardava dela. Virou a Tiazinha da cadeia, diziam os presos que atravessavam do Setor B para Niterói, dá mole pra tudo quanto é bandido, se corresponde com todo mundo. Era difícil de acreditar que uma mulher que tantas provas lhe dera de um amor sincero pudesse esquecê-lo de uma hora para outra, sem sentir as dores lancinantes que paralisavam as manhãs de Marquinho.

Bebia Diazepam e mergulhava em sonos profundos, único lugar em que sentia um pouco de conforto enquanto navegava pela ausência de Valéria. Mas mesmo assim tinha os seus sobressaltos, pois ela facilmente caxangava os seus sonhos, arrombando-lhe as portas do inconsciente com a determinação de quem está fazendo um 157, entrando para ganhar. Ele acordava suando em bicas quando era vítima dessas invasões de domicílio, mas logo se arrependia. A vida vai ser sempre melhor ao lado daquela morena de buceta grande como a fome. Mesmo que qualquer contato com ela só fizesse tornar ainda maior (e o pior que isso era possível) o vazio que sentia em seu peito, essa arcada de músculos perfeitos que atualmente o fazia pensar nas paisagens dos filmes de guerra que antes não perdia na TV, mas aos quais foi indiferente durante a agoniada travessia pela saudade de sua Iemanjá. Sabe aquelas casas que do lado de fora estão inteiras e aí a gente abre a porta e dá de cara só com ruínas? Era assim que via o seu peito. Ele estava destroçado por dentro. Restava-lhe apenas a fachada.

Tentava preencher aquele vazio de alguma forma. Como por exemplo com a raiva, o ódio, o desejo de vingança. Foi assim no dia em que o Banana chegou do Setor B trazendo consigo uma carta escrita por Valéria, cujas letras, desenhadas como as de uma professora, ele reconheceu com um calafrio. Mas aí bateu uma rapa para que aquele caidinho

NO CORAÇÃO DO COMANDO

interesseiro lesse o toque que ela escrevera, onde a filha da puta se dizia doida pra transar com um tal de Bigu, um dos bandidos do grupo do Isaías do Borel. Só com AK, pensou. Essa mulher merecia era ser dividida ao meio com uma fuzilzada. Mas depois disso ele voltou para as trevas, onde ficou sem forças nem para rasgar a calcinha que ela usava na silenciosa noite em que se amaram embaixo da cama do hospital ou para jogar fora os cachos dos cabelões de henê da sua Iemanjá. Chegou a pensar que o Banana estivesse mentindo, mas ele é que não ia mais bater de frente com o Comando por causa daquela vagabunda. Cadê que tinha disposição pra alguma coisa além de noites chorando copiosamente e planos suicidas que só não colocava em prática porque nem pra isso tinha ânimo?

Os dias e as noites se arrastaram ruidosamente, como se fizessem parte de uma grande máquina que tivesse como função estrangulá-lo com correntes de ferro, rangendo à medida que o deixava sem ar, sem chão, sem céu, sem nada além de uma profunda sensação de escuros em sua alma e um apito fino lá nos recônditos do silêncio, como se fosse uma panela de pressão avisando que tinha chegado a hora de ele ser jantado. Foi assim, um buraco tão grande no peito que não sabia quem estava dentro de quem, até mesmo na noite em que viu Bira Presidente, o filho da puta que enchera a cabeça do seu filho de balas, chegar na cadeia. Sabia que aquele ladrão de boca de fumo ia ficar preocupado ao tomar conhecimento de que ele, o Marquinho Neguinho, estava no mesmo coletivo. Qualquer quebra-peça sabe que mais cedo ou mais tarde um bandido vai cobrar o seu prejuízo. E para não ter que pagar com a própria vida, Bira Presidente iria aumentar a conta com Marquinho. Do fundo do seu coração que pulsava surdo e mudo, o Neguinho esperava que Bira cumprisse o seu papel de bandido. E fizesse o que ele covardemente não estava conseguindo fazer. Pôr um fim à agonia de uma vida desfalecida. Rasgando-lhe as entranhas com um estoque tão pontiagudo e cortante como as notícias sobre a Iemanjá que chegavam ao seu ouvido.

Seu caso comoveu a todos dentro do Edgar Costa. Até mesmo a diretora da unidade ficou preocupada com Marquinho e pediu para que uma assistente social se encarregasse de trazê-lo de volta para a vida. Soraia, uma loura que era uma perdição, tentou de tudo. Carteados, notícias esperançosas do Flamengo, imperdíveis torneios de futebol e até mesmo uns lances de pernas que em outra ocasião seriam devidamente homenageados com uma punheta, mas que naquele momento foram solenemente ignorados — com o devido respeito, chefia, o pau não tá subindo nem na hora que acordo louco pra dar uma mijada. A situação só começou a mudar quando ele, totalmente duro, teve que defender uns trocados arriando um jogo nas agitadas noites do presídio. Mesmo assim, muito de leve, quase sem querer, porque o coletivo não sabe perder, principalmente esses funkeiros, que se comportam em uma cadeia como se estivessem na casa da mãe. Não estava com a menor paciência de mostrar pra garotada que rapadura é doce, mas não é mole, não.

— Só com muita fé em Deus pra não pegar o baralho e voltar pra minha comarca — disse Marquinho em uma das noites em que o resultado do jogo, que ele ganhou mais uma

NO CORAÇÃO DO COMANDO

vez, foi contestado por uma das principais lideranças da ala jovem do crime, o Dudu da Rocinha.

— Fé de mais, fé de menos, isso não importa — disse Dudu, reagindo ao cumprimento do Comando com um trocadilho.

— Então, que que importa, chefia?

— Importa que tu tá roubando e que eu vou te matar, rapá.

— Que rapá que nada, chefia. Respeita que eu tenho mais tempo de cadeia do que tu de vida.

— Tu é que tem que respeitar eu, vacilão. Eu sou o Dudu da Rocinha, mando te pendurar se tu continuar de vacilação.

— Tu faz o que tu quer — disse Marquinho, recolhendo o dinheiro que ganhara. — Mas primeiro honra tua palavra de bandido e paga a dívida que tu fez no jogo.

Essa não seria a última vez que bateria de frente com Dudu, um branquelo mirrado que se projetara no cenário ao participar da trama que culminou com a então recente morte de uma das maiores lendas do crime organizado no Rio de Janeiro, o Dênis da Rocinha, seu antigo patrão. E foi por causa da dificuldade que ele tinha para perder que voltaram a se estranhar em mais uma das noites em que a bandidagem se reuniu diante do jogo arriado por Marquinho.

— Eu não disse que tu roubava no jogo? — disse Dudu, mostrando para todo o coletivo uma carta que teria encontrado embaixo da perna de Marquinho.

O coração de Marquinho gelou. Parecia já ver a rodinha que daí a instantes se formaria em torno dele, que só seria desfeita depois que seu corpo caísse morto no chão cheio de estocadas. Talvez fosse isso mesmo que estivesse procurando desde o dia em que perdeu Valéria.

— Chefia, tu cada dia que passa me deixa mais triste com o que vocês chama de comando jovem — disse Marquinho olhando nos olhos de Dudu.

— Tu é pego com a mão na massa e ainda fica cheio de marra, rapá — disse Dudu.

— Todo mundo aqui sabe que tu é cheio das trufetas — disse Marquinho, batendo com os dedos da mão direita no seu ombro esquerdo, mostrando as divisas que Dudu teria no mundo do crime. — É perca de tempo tentar mostrar pros bandidos que tu não tá agindo que nem os puliças que tanto arrego tu dava lá na Rocinha. Mas tu tá agindo igual eles, forjando um fragrante pra cima de mim. E eu vou fazer que nem qualquer sujeito homem que dá de cara com um puliça querendo arrego. É pra mim dizer o quê pro delegado, seu puliça? Que esse fragrante que tu tirou do bolso é meu? Se é isso, chefia, então eu assino, o fragrante é meu. Mas tu sabe que não é. Tu pode até me matar, mas nós dois sabe que o fragrante não é meu.

Marquinho pegou o dinheiro do bolso e colocou em cima da mesa do jogo. Agia como um vapor deixando as peças de ouro que compra tão logo entra no movimento, que, embora usem para tirar uma onda com as cachorras do baile, têm como finalidade principal garantir a liberdade de cada um deles quando levam um bote dos home. Levantou-se em seguida e andou na direção da porta do alojamento em que o jogo estava arriado.

— Pra onde é que tu vai, rapá? — gritou Dudu ao vê-lo se afastando. — Peraí.

NO CORAÇÃO DO COMANDO 117

Marquinho parou, mas não se virou. Sentiu o bafo da morte em suas costas, mas, apesar do medo que tomou posse da sua alma, não queria que aquele funkeiro filho da puta flagrasse os seus temores e tremores.

— Deixa de ser estressado, Neguinho — disse ele em tom apaziguador. — Nós só tava fazendo uns testes com tu. Pra ver se a alemoa não tinha enfraquecido um dos melhores soldados que a nossa facção já teve. E agora nós pode ter certeza que tu é firme que nem pau de goiabeira. Pode vergar, mas nunca vai quebrar.

— Não tô entendendo onde tu quer chegar, chefia.

— A gente tamos aqui pra te chamar pra federação — disse Dudu.

Marquinho sabia que Dudu tinha visto no convite uma saída honrosa para o problema que acabara de criar. Mas já tinha ido longe demais para aceitar uma composição àquela altura do campeonato.

— Chefia, como eu disse na última vez que nós bateu de frente, eu tenho mais ano de cadeia do que tu de vida. Mas apesar de achar que tu não merece, eu vou ensinar um velho truque do Comando. Não esse Comando que vocês funkeiros acha que tá criando, mas o primeiro e único Comando que eu conheço, que é o verdadeiro Comando Vermelho. E o truque é o seguinte, chefia. Não vai com tanta sede ao pote, não. Não vai porque foi por causa da gula que os chefão da facção tudo teve vida curta. Pra nós que é bandido de verdade é molinho lidar com vocês. É só dá pipa, que vocês vão acabar tudo um com a raça do outro.

— Tu tá querendo esculachar nós.

— Quero não, chefia. Eu só não quero que vocês acabe com a facção que nós ralou tanto pra criar.

Marquinho foi para a sua comarca e, antes de se deitar, orou com fervor. Não porque quisesse que Deus o livrasse de uma cobrança que ele imaginava inevitável. Mas como uma canção de despedida dessa vida bandida. Na qual achava cada vez menos graça.

— Fé em Deus, Neguinho — disse um dos funkeiros do Zé Gordo, que tinha sido transferido para o Edgar Costa depois da morte de Japonês. — O home mandou te chamar.

— Chefia, se é pra passar o carro, passa aqui mesmo. Eu não vou morrer mesmo? Então, mata logo.

— Né nada disso, Neguinho. O cara parece que gostou da idéia de tu entrar pro primeiro grupo.

Marquinho não estava querendo nada com os chefões do Comando, pois, além da falta de vontade de viver, não conseguia deixar de esquecer a coça que levou, das profundas feridas que ela deixara em sua alma. Tinha também o fato de que, se estava sem a sua morena, era porque o Comando entrara em cena com muita rapidez, não lhe dando tempo para que ele mesmo descobrisse que Valéria era uma vagabunda de marca maior, que não merecia nem mesmo que lhe desse uma pirocada. Gostava de ele mesmo escolher (ou desescolher) as mulheres que levava para o parlatório e por outro lado bem que seria muito do seu agrado comer aquela buceta grande como a fome pelo menos umas duas ou três vezes, para não dizer um mês seguido. Mas talvez tivesse chegado a hora de ensinar o que aprendeu nessa vida bandida. O pessoal tava crescendo muito sem orientação, pensou no momento em que Zé

Gordo realmente o chamou para a federação, não era à toa que tinha tanta gente caindo nessas cadeias e favelas. Foi por isso que aceitou o convite.

— Eu entro com a condição que acabe com a judaria aqui na cadeia — impôs Marquinho.

— Tá tranqüilo — disse Zé Gordo. — Nós achou que o que tu falou na lata do Dudu é o certo e por isso nós quer tu como o terceiro homem do Edgar Costa.

O caso do Edgar Costa era mesmo muito complicado — talvez um dos mais enrolados de todo o sistema penitenciário carioca. O porquê, ele, cadeeiro dos quatro costados, já tinha entendido desde que atravessou do Setor B. É que o Edgar Costa agora era um presídio semi-aberto, o coletivo em sua maioria era formado por funkeiros vindos diretamente de uma delegacia, sem a menor idéia do que é uma cadeia fechada, com penas de quatro anos, quatro anos e poucos a cumprir. E a garotada estava levando a cadeia à loucura. Marquinho entendia, tinham nascido em um mundo em que o tráfico já estava consolidado e por essa razão praticamente não conheciam o asfalto. A vida toda eles tinham passado ali na favela mesmo, onde encontravam de tudo de que precisavam para ajudar nas despesas de casa e bancar as loucuras da juventude. Não tiveram, como os bandidos da geração de Marquinho, que aprender os segredos da sobrevivência no asfalto e seus puliças e seus malandros e seus otaros. Sequer tiveram que se esconder envergonhados dos vizinhos, que no passado eram moralistas, tratando a entrada de um membro da família no tráfico como uma desonra só comparável à de uma filha se prostituindo. Muito pelo contrário, vender drogas tinha se tornado uma atividade de fundamental importância para a favela, que hoje praticamente depende dela. Se não a favela inteira, pelo menos a bandidagem. E não é à toa que essas cadeias semi-abertas só têm 12. Esse é o caso de pelo menos 70% do Edgar Costa.

— Tua primeira missão vai ser organizar uma fuga pra nós — disse Risada, o dono do morro do Chapadão e uma das novas caras do crime organizado no Rio de Janeiro.

— Nós quem? — perguntou Marquinho.

— Desde que eu teje nesse barco, tu pode incluir quem tu quer — disse Dudu.

— Se é assim.

Marquinho empolgou-se com a missão. E começou a trabalhar com afinco nela, que, além de preencher todo o vazio do seu coração, deu-lhe um ânimo, um vigor, uma felicidade que ele pensou ter esquecido entre os lençóis do Hospital Central, juntamente com as lembranças de que um dia foi capaz de paixões e uma vida de entregas. Por incrível que pareça, teve como principal parceiro nessa empreitada Dudu da Rocinha, com quem começou a construir uma relação paternal à medida que ia ensinando os segredos que criaram a mística do Comando.

— Sabe por causo de que eu quero uma fuga em massa, chefia? — dizia ele com um ar sonhador nas conversas que começou a ter com Dudu durante os preparativos da fuga.

— Pra mostrar pro cenário que o Comando voltou a ser o velho Comando. Nós não vai agir que nem os alemão, aqueles judeus que são que nem a Quadrilha do Jacaré, que espalhava o terror nos velhos tempos da Ilha Grande, matando muito vagabundo por causo de uma simples calça Lee, lembra dela, chefia? Mas o pior não era isso. Pior era as curra, os maus-tratos aos familiares, o esculacho no dia-a-dia das cadeias. Só sendo sujeito homem pra passar por todas essas provação. Foi pra isso que o pessoal criaram o Comando Vermelho, que na época era a Falange. A Falange Vermelha. Foi ela que botou ordem na casa, tá ligado? Antes era um verdadeiro deus-nos-acuda.

— Isso aí que tu falou pode ficar bonito em um Proibidão, mas não dá pra invadir um morrão com letra de funk.

— Isso é o que tu pensa, chefia. Mas pra teu governo a gente começamos a ganhar as guerra quando nós arruma um cigarro pro caidinho fumar, quando nós paga um adevogado pra um irmão, quando a gente mandamos uma feira pra patroa dele. Quando o Comando fortalece os cara nessas horas de dificuldade, nós arruma um aliado de verdade, desses que entra em qualquer parada, que dá a vida pela facção e não apresenta a conta pra ninguém. Vi muita gente fazer isso. Eu mesmo já botei o peito em muita trocação de faca e tiro que não era minha só por causa de que um irmão pediu.

— Tu tá por fora, Neguinho. Nós ganha guerra é com maçarico fervendo e grana pra botar no bolso dos verme.

— Tu pode ter o maior bonde do mundo e tudo que é puliça arregada. Mas se um alemão chegar só com um oitão e te enquadrar de surpresa é ele quem ganha. Porque ganha quem vê primeiro, chefia.

— Pois alemão que botar a cara no meu morrão eu respondo é com bala.

— Chefia, pra que levar uma bala agora se eu posso levar ela daqui a dez anos?

— Tu quer dizer que é pra entregar o morrão de mão beijada pros alemão?

— O problema de vocês funkeiro é que tão pensando que é tudo Rambo. Mas o negócio do Comando não é guerra. A nossa parada é ganhar um dinheiro mole.

— Vocês coroa são tudo peidão.

— Chefia, eu tô bonzinho, mas não fiquei bobo, não. Se nós quer paz no morrão não é por causo de que nós é tudo peidão. Nós só cansou de parada roubada. Porque eu também quis fazer história no mundo do crime. Sabe qual foi a medalha que eu ganhei, chefia? Uma porrada de processo pra mim responder. E dos 42 ano que o juiz me deu pelo menos uns vinte foi de coisa que um delegado travestis botou na minha ficha. Tenho certeza que acontece a mesma coisa com tu e esses funkeiros cheio das famas. Quer apostar como toda vez que tu tá pra ganhar um benefício da lei lá na VEP pipoca um processo de alguma parada que tu nunca sonhou em fazer? Quer apostar?

Dudu levantou-se puto da vida e passou bem uns três dias sem falar com ninguém na cadeia. Marquinho pensou em se aproximar, mas ele não quis conversa. Então, foi procurar outros ouvidos para ensinar a filosofia do verdadeiro Comando Vermelho.

— Tu quer saber quanto é que nós quer pra tu botar uma droga pra dentro da cadeia? — disse ele a um funkeiro da Providência, que foi lhe perguntar o que precisava fazer para abrir uma boquinha dentro do seu alojamento. — Pois eu vou te contar o que o Bagulhão fazia quando algum pela-saco ia bater continência pra ele. Quer deixar eu feliz?, dizia o Marechal. Então, faz presença pros caidinhos. Porque eu não tenho pobrema pra arrumar um bagulho pra mim fumar, nem uma brizola pra mim cheirar sempre que tô fissurado. Não foi uma nem duas vezes que eu vi o Bagulhão falando assim pros pelasaco que iam bater continência pra ele.

— Mas hoje tá tudo mudado — disse o funkeiro. — Hoje nós só bota uma droga pra dentro de uma cadeia depois de desenrolar com o primeiro grupo.

— Desenrolar é uma coisa. Dar papel da tua boca é outra.

— Rapá, rapá.

— Sou eu que tá falando, chefia. Bota tua droga pra dentro em paz. Se alguém recramar, tu manda falar comigo.

— Rapá, rapá.

— Eu sou o terceiro homem, chefia. É eu que resolve todas as paradas que entra nessa cadeia. Quer botar uma maconha, uma arma, um celular pra dentro da cadeia? Quer dormir com uma garota de programa no alojamento? Procura o terceiro homem, chefia. Foi pra isso que nós criou o terceiro homem. Tu já imaginou como ia ser a vida do presidente da cadeia se tudo que é bandido fosse desenrolar com ele por causa de um baralho que quisesse botar pra dentro?

— Humildemente, eu posso usar o faxina?

— Sinceramente, chefia, aí eu acho que tu tá abusando da boa vontade da facção. Por causa de que os faxinas é coisa que o Comando escala pra fazer o meio do campo entre a rua e a cadeia. Eu acho que tu vai ter que falar com a tua dona pra ela fazer um cafofo ou então arrumar um viado disposto a fazer uma bomba-relógio pra tu.

— Já é.

Alguns dias depois, viu o tal funkeiro comendo porrada do bonde de Dudu.

— Se isso é lá na Rocinha, tu a essa hora tinha virado comida de jacaré — disse Dudu depois de dar um chute no saco do cara.

— Agora eu sei por que mesmo tu sendo o poderoso Dudu da Rocinha tu tá mofando aqui na cadeia — disse Marquinho, colocando-se entre os dois.

— Lá vem tu com tuas manias de profeta — disse Dudu, segurando a muito custo o socão que armara para Marquinho.

— Não preciso ser macumbeiro pra mim ver o que tá na cara de todo mundo.

— E o que que tá na cara de todo mundo e só eu não vejo?

— Os caras te deram pros home porque tu tava aterrorizando a favela.

— Que nada, rapá. Eu tô aqui porque deram um golpe de estado ni mim. Mas eu ainda vou mandar aquela corja de alemão pra fora da Rocinha. Tu vai ver só.

— Não vai adiantar nada tu fazer aliança até com o Diabo pra tomar a Rocinha de novo pra tu. Porque se os caras deram tua cabeça foi porque tu tava criando muito pobrema pra boca.

— Que pobrema que nada, rapá. Eu tava era preocupado com a disciprina. Como agora, até a hora que tu resolveu entrar no meu caminho.

— Tu pode até acabar com a minha raça. Tu pode também quebrar esse funkeiro na porrada. Depois tu pode voltar e expulsar todo mundo da Rocinha. Mas se tu não se ligar no que eu vou te falar agora, tu logo depois vai voltar pra cadeia.

NO CORAÇÃO DO COMANDO   125

— Não tenho nada pra ouvir de tu.

— Se tu não tem ouvido de ouvir, tu não ouve. Mas não vai ser por falta de aviso que tu vai continuar esculachando a pior raça do mundo, que é trabalhador no direito dele. Se tu não respeitar a comunidade, tu vai mofar na cadeia. Ou então cair nas armadilhas que com certeza vão preparar pra tu.

Como da última vez que tinham batido de frente, Dudu ficou puto da vida e passou alguns dias em total silêncio, agindo não como um marginal que estava disputando o poder dentro das cadeias, mas como um filho repreendido em público pelo pai que adorava. Ele só voltou a falar em uma das reuniões do coletivo, realizadas entre o confere e a oração das sextas-feiras a cada 15 dias, mais precisamente às cinco e meia da tarde. E quando o fez foi da maneira mais respeitosa possível, dando-se até ao trabalho de levantar a mão antes de dizer que tinha uma idéia, podia dar?

— É craro, chefia — disse Marquinho, que estava coordenando a reunião.

— Não tem as minas das termas que a gente mandamos entrar pra servir os cabeças e que pra entrar os irmão sempre têm que fortalecer os guardas da portaria, deixando pelo menos uma lá pra fazer uma suruba com eles?

A chefia pode estar estranhando o clima escancarado da reunião, com os presos falando de fugas sem a menor preocupação com os SOEs. Mas elas eram assim mesmo. Em geral, as reuniões das sextas-feiras têm como objetivo discutir questões mais singelas, como por exemplo a distribuição de convites para uma festa dos dias das mães, que são sempre em número inferior ao de visitas que há dentro de um coletivo. A organização dos torneios de futebol também é feita nas reuniões do coletivo, bem como a escolha dos faxinas e de outras atividades importantes para o bem-estar do coletivo. Mas as reuniões também são palco para polêmicas e ruidosas decisões, envolvendo grandes lideranças do mundo do crime e diretores de presídio. Os desipes não ousam chegar nem nas proximidades. A não ser, é claro, quando é o destino deles que estava em jogo e precisavam prestar algumas informações para o grupo. O único problema ali seria se algum X-9 resolvesse entregar os irmãos. Mas esse é um risco que sempre se está correndo dentro de uma cadeia, dentro da qual se conspira da hora em que o primeiro bandido acorda até a hora em que o último vai dormir.

— Tem, sim — disse Marquinho, ainda sem saber onde Dudu queria chegar.

— Será que nenhuma delas teria coragem de dar um boanoite na cerveja que os guardas sempre tomam quando fazem suruba às custas da nossa caixinha?

Como ninguém tinha pensado nisso antes? — todos se perguntaram. E de imediato aderiram com entusiasmo à proposta. O resto seria detalhe. Como por exemplo descobrir a vagabunda mais disposta e o plantão mais adequado. O mesmo Dudu, inspiradíssimo naquela tarde, também lembrou que o coletivo não podia ficar muito entusiasmado, pois podia chamar a atenção dos guardas, que também não são nada bobos e desconfiam da menor mudança no cotidiano de uma cadeia.

— Então fica combinado assim, bandidagem — gritou Marquinho, encerrando a reunião com o orgulho de um pai

NO CORAÇÃO DO COMANDO

que vê o filho marcando um gol decisivo no campeonato da escola. — Faz de conta que nós não falou nada demais aqui no coletivo.

Teve em seguida a oração, que Marquinho rezou totalmente esquecido que um dia entregou seu coração bandido nas mãos de uma vagabunda, a Tiazinha do Nelson Hungria.

CAPÍTULO 15

Sábado é dia de muita paz e tranqüilidade nas cadeias cariocas, pelo menos nas que são dominadas pelo Comando Vermelho. É o sagrado dia das visitas, razão pela qual os mais temidos bandidos do Rio de Janeiro se comportam como compenetrados pais de família ou obedientes filhinhos de mães fiéis, cujo amor resiste até mesmo às humilhantes revistas a que têm que ser submetidas na entrada do presídio. Só não precisam respeitar essa determinação os presos que não têm visitas, que, por sua vez, são obrigados a ficar na própria cela. Este foi o caso do próprio Marquinho, que, mesmo tendo se tornado uma liderança e como tal com direito a certas regalias, jamais se permitiria um tratamento de exceção. Era exatamente contra isso que estava se batendo nesses últimos tempos, a mania que os chefões tinham de achar que eram diferentes do restante do coletivo. Ele pelo menos não era.

— Fé em Deus, Neguinho — disse uma voz, anunciando a sua aproximação da comarca de Marquinho.

Ele, que estava vendo um jogo do Flamengo com a velha meia de mulher que usava em suas sessões de henê, não reconheceu o dono da voz. Sabia apenas que era uma voz masculina. Imaginou problemas que o impediriam de desfrutar de um dos poucos prazeres que estava tendo desde que a sua Vida se tornara a Tiazinha do Nelson Hungria, juntamente com o vício do carteado e as aulas sobre o crime para os funkeiros. O pessoal também, resmungou enquanto se levantava, não param de arrumar confusão.

— Fé em Deus, chefia — disse Marquinho, achando estranho ser procurado por Dudu, já que ele recebe visitas da mulher e dos filhos, será que aconteceu alguma coisa com eles?

— Minha visita quer falar com tu.

— Mas logo na hora do jogo do Framengo?

— Ela disse que era urgente.

— O que será que a mãe dos teus filhos quer comigo de tão urgente assim, chefia?

— Ih, Neguinho, me admira tu não saber que eu mudei de visita.

— Eu tomo conta da cadeia, mas da vida dos outros eu não quero nem saber.

— Minha visita sabe quem é tu.

Quem seria essa visita?, perguntou-se Marquinho depois de tirar a meia da cabeça, enquanto penteava o ralo bigode que jamais deixou de usar. Talvez devesse sair mais para o pátio nos dias de visita, para não ser pego de surpresa como hoje.

— Pato Rouco — uma voz feminina gritou.

O coração de Marquinho gelou quando reconheceu a voz de Andréa — a amiga de Valéria dos tempos da Gangue da

NO CORAÇÃO DO COMANDO 131

Zona Sul, que chegara no Nelson Hungria bem na época em que começaram a namorar. Era como se ela trouxesse junto consigo a indesejada presença da nova Tiazinha da cadeia.

— Andréa — disse ele depois de um breve silêncio. E quase acrescentou: como vai a vagabunda da sua amiga? Mas conseguiu se conter a tempo e foi polido como pedia a situação. — Você por aqui? De onde é que tu conhece o Dudu?

Andréa riu.

— Do mesmo lugar que eu conheço a tua Vida.

Não ouvia alguém se referindo a Valéria daquela forma desde que saíra do Setor B. A macharia do Edgar Costa só chamava Valéria de Tiazinha, no máximo de Morena.

— Quer dizer que tu também é da Gangue da Zona Sul? — disse Marquinho, encontrando nesse comentário uma maneira de fugir do assunto Valéria. — Pô, mas tu é bem mais novo do que as minas, né não?

Ele fez que sim com a cabeça.

— Eu só tenho 25 anos — disse. — Eu era o mascote da turma.

Fez-se um breve silêncio, que Marquinho quebrou com medo de fazer a pergunta que revirava seu estômago pelo avesso — e a Vida, tem notícias dela?

— Tu tá na rua desde quando? — perguntou. É esse o tipo de pergunta que se faz a uma pessoa cuja última vez que vimos estava em cana.

— Ih, já tem bem uns três mês — disse. — Foi na mesma semana que a Vida saiu.

A luz da tarde, que até aquele momento ardia como corações apaixonados, nublou de repente. Ele piscou os olhos embaçados, como se estivesse de porre e fizesse um esforço para não ver imagens dobradas. Principalmente porque agora o assustador fantasma era a Tiazinha do Nelson Hungria fazendo strip-tease para todo o Setor B. A visão mais assustadora que tivera em toda a sua vida.

— E como vai a Tiazinha?

— Quem? — perguntou Andréa.

— A Tiazinha — repetiu ele, fazendo questão de escancarar sua raiva, as mágoas que estrangulavam seu pescoço como um dos cruéis funkeiros que estavam tirando a paz dos presídios cariocas. — A Tiazinha do Nelson Hungria.

— Não sei de quem tu tá falando não.

— A tua amiga, aquela vagabunda que se corresponde com tudo que é bandido do Setor B.

Andréa fez uma cara de ah, agora eu estou entendendo tudo.

— De onde é que tu tirou essa idéia de maluco?

— A cadeia é um lugar onde pouco se fala e muito se sabe — disse ele, defendendo-se em sua velha máxima.

— Pois eu vou te dizer toda a verdade agora mesmo — disse Andréa, falando como se fosse a Vida, com um vozeirão de assustar. Ou será que era ele que a estava vendo ou ouvindo em todos os lugares?

Andréa não poupou nenhum detalhe. Narrou tudo o que ela mesma viu com esses olhos que a terra há de comer. Destemperada como a Valéria, deixou as palavras saírem aos borbotões de sua boca, sem se preocupar se fulaninho ou sicraninho estava por perto e pudesse se sentir melindrado com os fatos que estava revelando.

NO CORAÇÃO DO COMANDO 133

— Sabe o Banana? — disse, indignada. — Pois aquele filho da puta, que ainda hoje deve viver na tua cola, não perdeu uma oportunidade de dar uma cantada na Valéria. A mina aparecia na grade e o bandido não perdia tempo, ia logo dizendo que ela era gostosona, que queria comer ela embaixo de uma das camas do Hospital Central.

— O Banana disse isso? — duvidou Marquinho.

E foi duvidando de tudo o que ela estava contando, principalmente das cantadas que o bom Coroa do Arará também deu em sua morena de cabelos de henê, dizendo que ela era bonita demais pra ficar com um caidinho que nem o Marquinho Neguinho.

— Tu comigo pode ter do bom e do melhor, o Coroa sempre oferecia.

— O Coroa do Arará?

— Ele mesmo, Neguinho.

Porém, o pior de tudo foi saber que lá estavam chegando agressivos toques atribuídos a Marquinho, nos quais dizia que estava cansado da alemoa, que seu negócio era o Comando Vermelho, não sabia como um dia tinha pensado em brigar com a facção para se misturar com a piranha do Jiló.

— Tu sabe ler? — perguntou ele, no final do relato dela.

— Sei.

— Se eu pedir pra tu ler um negócio de resposta pra mim, tu lê?

— É só tu botá na minha mão.

Marquinho caminhou com largas passadas em direção ao alojamento. Foi de cabeça baixa para não correr o risco de olhar na cara de nenhum daqueles traidores filhos da puta. Um suor frio e fedido escorria pela sua testa. As mãos só paravam de tremer se ele as apertava. Não sabe do que seria capaz se cruzasse com qualquer um dos irmãos que conspirou contra o seu amor. Filhos da puta, ele repetia baixinho, como se estivesse chamando um dos seus orixás. Quando chegou na comarca, revirou um dos seus cafofos e pegou os toques que Valéria tinha mandado para ele e que só não os rasgara por absoluta falta de força, porque a única coisa que lhe passava pela cabeça quando um dos seus parceiros os lia era morrer.

— É isso aqui que eu quero que tu leia — disse ao voltar, puxando a amiga de Valéria para um canto em que ninguém ouvisse o que tivesse de falar a partir de então.

Andréa leu cada um dos toques de Valéria. Eram bem uns 15, que Marquinho ouviu de cabeça baixa, olhando para o chão com medo de que de uma hora para a outra ele se abrisse e o engolisse com uma fome de povos africanos. Também receava que descobrissem o que se passava em seu coração, esse redemoinho de sensações que aos poucos ia identificando, oscilando como um mar em frias tardes de ressaca entre o mais ressentido dos ódios e o mais saudoso dos amores. Sua contenção, o esforço que fez para não revelar e liberar as ondas que o sacudiam por dentro, deixou-o com náuseas. Por pouco não vomitou as vísceras à medida que comparava o que ouviu e o que guardava na memória da leitura do Banana.

— Sube hoje que tu atravessou pro Edgar Costa — dizia o primeiro toque. — Doeu no meu coração, doeu muito. Acho que doeu mais do que o chute que o Hélio Vijo deu na minha barriga. Mas eu vou esperar por tu até o dia do juízo final, se

NO CORAÇÃO DO COMANDO 135

preciso for. Mas nós vai ficar livre não demora muito, se Deus quiser. E aí eu vou ser tua dona. E aí tu vai ser meu homem. E nenhum cu vermelho vai entrar no nosso caminho. Te amo. Tô morrendo de saudade.

— É isso? — perguntou ele quando Andréa acabou de ler o primeiro toque. Ela fez que sim com a cabeça. — Pois sabe o que o Banana leu pra mim?

— Você lembra?

— É lógico que eu alembro! Eu me alembro de cada palavra que aquele filho da puta leu pra mim, com o perdão da falta de respeito, Andréa. Alembro tanto como o primeiro 157 que fiz. Parece que ele tá lendo aqui pra mim agorinha mesmo. Como é que eu ia esquecer o dia mais triste da minha vida?

— Como é que era, então?

— Sube hoje que tu atravessou pro Edgar Costa — disse ele, puxando pela memória. — Graças a Deus. Fiquei com pena de tu por causo do pau que tu tomou. Mas nós tá cansado de saber que alemãos nunca vão dar certo juntos. Tu é um cu vermelho que nem o Jiló. Que nem o Isaías. Na primeira oportunidade, tu ia acabar com minha raça. Ou então eu ia acabar com a tua. Adeus.

Em outro toque, ela reclamava de uma carta que tinha recebido dele, onde ele a chamava de sapatão escroto, nunca mais quero saber de tu. Em sua resposta, havia palavras borradas de lágrimas e marcas do sangue que escorreu do pulso que ela mais uma vez cortou e mais uma vez a levou para o hospital, mas dessa vez de verdade, pra morrer mesmo, não para vê-lo e abraçá-lo e beijá-lo e ter orgasmos embaixo da cama. O doutor perguntou por tu, dizia ela a uma certa altura do toque.

Ele não acreditou que um amor tão bonito como o nosso pode acabar. Eu também não.

— Ela tentou morrer de verdade? — perguntou.

— Não só tentou se suicidar.

— Que mais que aquela maluca fez, meu Deus?

— Quase matou a mulher que disseram que tava se correspondendo com tu.

Marquinho riu. Era a primeira emoção que deixava transparecer desde que parou de ver o jogo do Flamengo. O seu Framengo.

— É maluca mesmo. Nunca vi mais maluca.

Mostrar parte do coração foi como botar a cabeça do pau em uma buceta, pensou Marquinho arrependendo-se, tarde demais, de ter rido das loucuras de Vida. Porque logo em seguida veio a sensação de ódio de si mesmo, da sua ignorância, da preguiça que sempre teve de estudar as letras, oportunidade foi o que não faltou ao longo de todos esses anos de cadeia.

— Se eu subesse ler, isso não tinha acontecido — disse, deixando escapar as lágrimas de uma dor que não se permitiu sentir nestes últimos sete meses. — Mas eu tinha vergonha que todo mundo achasse eu burro demais.

Andréa tentou consolá-lo, mas ele não deixou.

— Posso ser sincero, Andréa? — disse, esquivando-se do carinho dela. — Eu não mereço tua consideração, não. Como é que eu não desconfiei? Só um compreto otaro que nem eu ia acreditar nas bobagens que o Banana leu no dia que esse toque chegou. Sabe o que ele falou e o pior sabe o que eu acreditei? Ele falou e eu acreditei que as lágrimas, essas lágrimas borrando as letras da minha Iemanjá, tinha sido de raiva por

NO CORAÇÃO DO COMANDO 137

um dia ter beijado minha boca suja. Ele falou e eu acreditei que esse sangue era das regras dela, pra mostrar o desprezo que sentia por mim. Ele falou essas bobagens da minha morena maluca e eu acreditei. Só matando com AK. Só dando fuzilzada.

O ódio deixou a sua boca ressecada, os lábios esturricados como o barro do sertão. Tinha ódio da sua ignorância e do orgulho que não o deixava freqüentar um dos muitos cursos de alfabetização dados dentro da cadeia, ódio dos irmãos traidores, ódio da justiça que jamais lhe dera oportunidade, ódio do Bira Presidente, do comédia do Jiló, do delegado travestis, do seu pai bêbado, da tarde que ardia como corações apaixonados e de repente nublou, das noites em que não cedeu ao desejo de ligar para um dos celulares do Nelson Hungria e mandar chamar a Tiazinha, para perguntar se ela era filha da puta com todo mundo, se a covardia que fizera com ele era uma estratégia do Terceiro Comando para minar as principais cabeças do Comando Vermelho.

A sirene tocou, anunciando o fim das visitas.

— Sim, quase que eu ia esquecendo. Mas eu truxe um recado pra tu — disse Andréa.

— Pra mim? Dela?

Andréa fez que sim com a cabeça.

— Qual? — perguntou, ansioso.

— Ela não quer que tu fuja. Ela disse que era pra mim lembrar a você que não quer viver com tu escondida que nem bicho.

Marquinho se assustou.

— Como é que ela tá sabendo da fuga?

— Cadeia é um lugar que pouco se fala e muito se sabe.

— Não tô de brincadeira.

— Esqueceu que eu sou a visita do Dudu?

Marquinho fez um gesto com a mão, orientando-a a andar na direção do portão.

— Antes de você dizer tchau pro Dudu, eu vou te pedir uma coisa. Não por mim, que não tenho valor nenhum. Mas pela Vida, que é mulher de verdade.

— Pede.

— Dá a tua carteira pra ela amanhã e manda ela botar a foto em cima da tua.

— Por que ela não faz uma carteira no teu nome?

— Não sei pra que tu aprendeu a ler? Deixa de ser otara, menina.

— Por que eu tô sendo otara?

— Porque, se ela fizer carteira, os caras não vai deixar ela entrar na cadeia.

Andréa topou e foi se despedir de Dudu. Deixou para trás um homem cheio de ódio, mas que sabia que a única maneira de vingá-lo seria fazendo de conta que nada acontecera.

CAPÍTULO 16

Valéria olhou-se no espelho e passou batom. O batom foi o primeiro presente que ganhou de Marquinho, lembra bem. Era um batom vermelho como os pecados que pretendia fazer na visita. Duvida que aquele neguinho não mostrasse todo o seu borogodó no parlatório. Não gostava de parlatório, que os SOEs das cadeias femininas chamavam de banco de leite. Foi por essa razão que passou toda a sua cadeia se virando com mulheres. Pra puliça é que ela não ia dar mole. Jamais.

Mas agora ela nem lembrava que existia SOE. Lembrava de coisas outras, todas muito melhores. Levava no peito suas neuroses, seus traumas, mas nada que pudesse ser comparado, em tamanho e em intensidade, com o que sentia pelo Marquinho. O coração batia acelerado e descompassado, ai que nervoso. Será que ele ainda ia achá-la bonita? Será que ainda sentiria aquele tesão louco, capaz de levá-la a êxtases até mesmo embaixo de uma cama de hospital? Deus do céu, do que aquele neguinho não seria capaz tendo os dois uma cama inteira só para eles, dentro de um quartinho que por mais apertado que fosse era um lugar só para os dois? Para o amor dos dois.

Já eram sete horas, tinha que se apressar. O Edgar Costa tem bem uns 500 presos, a fila de visita chega a dar a volta na esquina. Bom, pelo menos foi isso o que Andréa disse. Mas será que essa calça estava dando o devido valor a sua bunda? Achou que não e resolveu trocá-la. Que tal a preta, perguntou ao espelho, colocando-a por cima da que estava vestindo. Então lembrou que preta não pode, a cor é exclusividade dos agentes penitenciários. Pensou numa azul, ela também apertadona. Mas azul é a cor dos faxinas. Que calça ia usar, cacete? Tinha que ser uma que deixasse aquele homem maluco.

O celular tocou e ela atendeu pensando que fosse a Andréa. Nem olhou no visor.

— E aí, mulher? — disse. — Tudo bem?

— Ai que chatice. Você não vai me deixar em paz nunca, Jiló?

— Tenho um recado pra te dar.

— Não tenho o menor interesse em saber o que tu tem pra me dizer.

— Tu tem interesse na tua vida?

— Agora que eu tô voltando pro Marquinho, todo.

— Pois é sobre isso que a gente temos que conversar.

— Ai, lá vem tu de novo com aquela história de que ou eu sou tua dona ou não sou mais de ninguém. Tô de saco cheio.

Apesar do descaso de Valéria, ele, Jiló, disse o muito que sabia e ela não quis acreditar.

— Tu tá querendo dar uma de poderoso — disse ela depois de tudo o que ele falou. — Mas tu não tá com essa bola

NO CORAÇÃO DO COMANDO

toda não, seu comédia. Agora dá um tempo. Tô indo visitar o Marquinho e ainda tô escolhendo a roupa que é pra mim usar quando ver o meu homem.

Valéria desligou o celular e voltou suas atenções para o espelho, onde viu a mulher mais feia do mundo, que jamais ia agradar um homem com o borogodó do Marquinho. O telefone voltou a tocar e ela, vendo agora que a ligação era do Jiló, deixou o aparelho tocar até ficar rouco. Estava muito mais preocupada com a combinação da calça, que com certeza seria a verde-oliva. Será que uma blusa marrom ia bem? Ih, sei não, pensou. O decote era dos mais provocantes, mas a combinação de cores lhe pareceu um cocô. E isso era muito mais importante do que as ameaças de morte que Jiló vinha lhe fazendo desde que começou a história com Marquinho e principalmente depois que foi solta.

Caramba, sete e meia da manhã e ela ainda está em dúvida se o cabelo fica melhor dividido ao meio e caindo pelos braços ou se deve fazer um rabo-de-cavalo. Lembra então que ele gosta de chamá-la de Iemanjá, cujos cabelos soltos chegam praticamente até a bunda. Está fazendo um calor dos diabos, mas decide ser a morena de cabelos de henê, só para agradar. Ele na certa vai gostar. A não ser que tenha mudado muito nesses sete meses, o que não duvida. Sete meses são uma vida. Com ela, por exemplo. Até da cadeia já saiu nesse tempo. Ele também mudou a vera, pelo que a Andréa falou até xerife de cadeia tinha virado. Será que tinha esquecido dela?

Não, paixão é paixão, concluiu sem pestanejar, muito embora tivesse suas dúvidas. Ela, sim, não esqueceu. Mas ela é ela. Ela não é ele. Se pudesse, faria dos dois um corpo só, para que ninguém mais pudesse separá-los. Mas não pode, sabe muito bem. Cada um tem sua vida. E a vida dele mudou bastante. Não viu a metida da Ester? Chegou no coletivo dizendo que tinha recebido um toque do Marquinho, no qual o cara pedia desculpa pela besteira que fizera ao dispensá-la para ficar com a três cus da Valéria. Pra quê? Tomou um pau muito do bem dado. Pra nunca mais se meter a besta. É verdade que depois bateu desespero em Valéria, que cortou os dois pulsos no meio da madrugada e bebeu seis Diazepans. Foi por muito pouco que não foi para o outro mundo, fazer companhia a seu pai. Bom, agora é hora de ir. Senão vai ficar lá no rabo da fila. E isso ela não vai suportar mesmo. Ansiosa do jeito que está, não vai agüentar esperar uma hora ou mais com a maçada das desipas, que parecem ter um prazer todo especial de humilhar as mulheres dos presos, particularmente as mães. Revistam tudo, até mesmo a vagina. Só entra depois que tirar a calcinha e agachar três vezes. Valéria se pergunta por que isso. Só pode ser para que tenham o total controle de tudo que entra na cadeia. É um olho grande do cacete o que os caras têm. Porque qualquer um sabe que têm até uma tabelinha. Um celular, por exemplo, custa 500 reais. Sem bateria. Com bateria, é 700 paus. Mas o pessoal lá dentro sabe improvisar bateria. No Nelson Hungria pelo menos sabia. As minas de lá conseguiram adaptar uma bateria de televisão para celular. Usando a própria oficina do presídio.

Deu mais uma olhada no espelho, só para conferir. Como se fosse uma matadora dando o tiro de misericórdia. Mas na hora H achou que o brinco que estava usando não tinha nada a ver, é lógico que o Marquinho não ia gostar daquela maca-

NO CORAÇÃO DO COMANDO 143

quice. Que tal então aquele brinco de casca de coco que viu na novela das oito? Não, o brinco é bonito, mas é muito discreto. É o tipo de brinco que apenas as outras mulheres reparam, e isso porque sabem que está na moda. Os homens mesmo gostam de coisas mais vistosas, como aquela argola de ouro que roubou de uma madama não tem nem 15 dias.

Valéria riu lembrando da cena. A madama estava toda prosa com os seus brincos, anéis, colares e pulseiras, uma peça combinando com a outra. Só faltava combinar com a coleira do cachorrinho, uma graça de salsicha. Esbarrou sem querer em Valéria e ficou reclamando, dizendo que ela devia olhar por onde anda. Mesmo correndo o risco de fechar sua cadeia, Valéria resolveu dar uma lição na coroa. Que a partir daquele dia iria deixar de ser uma velha chata e sebosa. Trate os outros com respeito, impôs. Se não, vai ficar sem peça nenhuma até no armário. Ia ficar de olho, alertou enquanto guardava o canivete com que a ameaçou e as jóias que lhe roubou. Mas Valéria sabia muito bem que isso era caô. O que ela queria mesmo era ter mais umas coisinhas para se enfeitar. Era assim que vinha enchendo a sua caixinha de jóias desde que saiu da prisão.

Quando finalmente colocou os pés fora de casa, já eram oito horas. Deus do céu, preocupou-se. Será que ia pegar um lugar ruim na fila? Lamentou, mas tinha certeza que sim. Pensou em pegar um táxi, mas achou que seria um exagero. Mesmo no primeiro dia, depois de sete meses de total abstinência de Marquinho e seus borogodós, não podia ficar se dando a esses luxos. Bandido é uma raça que gosta de mole, cada ganho é detonado em questão de horas no melhor shopping da cidade. Mas a idéia era sair do mundo do crime, lembrava-se a cada momento em que passava aqui do lado de fora. Era difícil resistir à tentação de ver uma casa de câmbio e não entrar enquadrando todo mundo, perdeu, meu irmão. Era difícil, mas ela resistia. E por isso poupava cada centavo que tinha no bolso. Pra não precisar ficar escorando ninguém na esquina com uma pistola.

Não nega que de vez em quando dá os seus ganhos, como por exemplo o que fez na madama do salsicha. Faz isso por várias razões. A primeira delas, vício, adrenalina, o prazer de fazer aquilo que mais sabe fazer na vida. Também havia a precisão, pois, quando se chega na rua, não se tem apoio para nada, é o crime ou a mendicância. Bom, o seu caso não foi bem assim. Na verdade, sua família estava disposta a lhe dar tudo. Mas as condições impostas eram impossíveis de ser atendidas. Deram advogado, arrumaram uma casa para morar e toda semana um cara do movimento levava a feira dela. Mas queriam que ela virasse uma mocinha de uma hora para a outra, os prazos iam sendo dados e vencendo um após o outro. Valéria, que não tinha a menor vocação para freira, ignorou os clamores da família. Preferia morrer na mão do Jiló, aquele comédia que acabara de ligar dizendo que ia cair se fosse visitar Marquinho no presídio.

Dessa vez, o comédia contou uma história com maior riqueza de detalhes, falando de uma reunião envolvendo o pessoal do Edgar Costa e o pessoal de Bangu III, onde ele e a alta cúpula dos cus vermelhos estão presos desde a morte do Japonês. Sabia que era mentira porque falava de uma x-novada do Dudu, que não tinha gostado nadinha de perder a visita para o Marquinho. Imagina se o Dudu seria capaz de uma coisa

NO CORAÇÃO DO COMANDO 145

dessas?, disse na lata do simpático. Conhece o cara desde que ele era um menino assustado, que só dormia com o dedo na boca e pegando nos peitos de uma das minas da Gangue da Zona Sul. Além do quê, a Andréa tinha se tornado visita dele. E Andréa jamais entraria em papo de vacilação, disso Valéria tinha absoluta certeza. Mais até do que o sexo quente e quase violento que iria fazer dali a pouco, tão logo o ônibus Estácio-Niterói parasse na Marquês de Paraná.

— Arruma outra história que essa não convenceu, não — disse em certo momento da conversa, tentando interrompê-la para voltar para o espelho.

Lembra da felicidade com que Andréa chegou em casa na noite anterior, vindo da visita a Dudu. Estão morando juntas mais uma vez e mais do que ninguém ela é testemunha das suas tristezas, das saudades rasgando suas entranhas como se fosse um bebê forçando passagem para conquistar as luzes do mundo. Noite após noite, lá estava ela catatônica na frente da TV, presa entre quatro paredes não mais por ter violado as leis da sociedade, mas porque não conseguia ver o menor prazer em uma vida longe daquele neguinho de mãos ágeis e firmes, que percorreram curiosamente cada uma das partes do seu corpo cada vez mais quente à medida que ganhava seus segredos, suas intimidades, seus medos de que a felicidade fosse uma coisa muito passageira, melhor não conhecê-la para depois não morrer de saudades.

— Adivinha com quem eu falei hoje? — disse ela ao chegar com pão fresquinho e uma cerveja estupidamente gelada.

— Com essa cara, com o Dudu no parlatório — disse Valéria, numa súbita animação.

— Não, sua boba, eu falei com o Marquinho.

O coração de Valéria fez um baticumbum esquisito, voltando de repente à vida, bombeando sangue para todas as partes do seu corpo que até segundos atrás estava desfalecido, totalmente inerte.

— Eu falei que não queria que você procurasse aquele cu vermelho! — disse, encrespando-se.

— Mil vezes te ver com raiva do que chapada de Diazepam — disse Andréa, sentando-se ao lado do sofá onde Valéria resolvera esperar a morte chegar.

— Se é assim, volte todas as vezes daquela cadeia falando do novo xerife dos cu vermelho.

— Tu sabia que o Marquinho é analfabeto?

— É lógico que eu sei. O cara mal assina o nome.

— Pois é.

Aí ela começou a contar cada uma das inacreditáveis sacanagens do Comando Vermelho — os toques lidos com um sentido totalmente diferente do original, as mentiras sobre os correspondentes que ela teria arrumado no Nelson Hungria, as respostas que inventaram no nome dele.

— Esses bandidos ainda me pagam — disse ela inúmeras vezes, tentando conter a explosão que tanta escrotidão estava detonando em seu coração.

A explosão não veio, porém. E não veio porque foi soterrada por um ataque muito mais violento de saudade. Da saudade absoluta que nesses últimos sete meses ela tentou chamar de nojo, ódio, arrependimento ou mesmo desprezo. Da saudade que enfim não tinha vergonha de se apresentar como a falta de uma pessoa à qual ela oferecera o puro e inocente amor que descobrira nos contos de fada e que deixara trêmulas as suas mãos — as mesmas que enchera de calos com a pistola de prata com a qual treinava sua pontaria durante horas a fio e com os socos que trocara ao longo de sua vida bandida.

— Tu tá mentindo, eu sei — disse Valéria a certa altura da narrativa de Andréa. — Tu tá mentindo porque gosta de mim e não agüenta mais me ver sofrer.

De fato, Andréa não agüentava mais ver tanto sofrimento. Não exatamente porque era chato chegar em casa e dar de cara com uma pessoa baixo astral, que não fazia outra coisa além de ver novelas e dormir chapada de Diazepan. Mas porque amava a amiga de um modo visceral, doía-lhe acompanhar o definhamento de uma pessoa tão cheia de fome, tão cheia de desejo, com tanta disposição para protagonizar as histórias emocionantes que contaria para os netinhos. Se pudesse, contaria mentiras para iludir Valéria de que Marquinho a procurara, de que Marquinho não sabia viver longe dela, de que Marquinho andava desesperado e de cabeça baixa pelos presídios. Mas dessa vez era a mais pura verdade, sim senhor. O cara era só tristeza mesmo, tinha virado xerife de cadeia como uma espécie de passatempo, porque não suportava os vazios do coração enchera-o de ódios e vinganças.

— Jura pra mim, irmãzinha? — perguntou Valéria, ajoelhando-se aos pés de Andréa.

Andréa tentara de tudo nesses poucos meses de liberdade para tirá-la daquela cama. Programas com as filhas de Valéria, pagodes com os bandidos do São Carlos, piqueniques com os remanescentes da Gangue da Zona Sul na Ilha Grande, passeios na Cinelândia para dar milho aos pombos. E ela nada de sair daquele sofá, presa dentro daquela sala como se ainda estivesse cumprindo pena.

— Não sei pra que tua família gastou tanto dinheiro com advogado — dizia Andréa, depois de tantas tentativas frustradas de libertá-la daquela cama que cheirava a tristeza, azedava de desesperos.

Foi por essa razão que mentira com tanto despudor para o Marquinho, dizendo que tinha um recado para ele. Na verdade, sabia que Valéria não queria viver como uma fugitiva aqui do lado de fora, assustando-se ao ouvir a sirene da polícia, dando passos em falso a cada troca de tiro no morro. Mas precisava de um pretexto para se aproximar do Marquinho e usou o raciocínio que qualquer amiga dela tinha na ponta da língua, tantas vezes ela repetira para as paredes do Nelson Hungria. Ela queria a liberdade não para ficar entocada na selva de pedra, como um bicho assustado. Mas para curtir a vida, passar intermináveis dias na praia, emendá-los com noites de lua rolando na areia fria fazendo amor até chegar a exaustão, até gritar para os deuses pára, por favor, pára, não agüento mais de tanta felicidade. Não tinha o menor interesse em nada além disso. Se fosse com fugas, preferia ficar apodrecendo em uma cela de cadeia ou azedando em um sofá comprado de segunda mão em um brechó da Lapa.

O ônibus ganhou a ponte Rio/Niterói e o seu coração bateu mais forte. Teve uma sensação de cavalos voltando para a cocheira, muito embora nada ali lhe falasse de intimidades. Nenhum cheiro daquela paisagem de exuberâncias e luzes que machucavam os olhos podia ser reconhecido pela sua alma

NO CORAÇÃO DO COMANDO 149

inquieta, mas era como se ela estivesse voltando para o aconchego de uma memória dos idos de criança. A manhã, cujo azul imenso era bordado por nuvens esparsas, parecia ter começado há muitos anos e talvez fosse por essa sensação de antigüidade na paisagem que seu coração foi tomado por ânsias, de repente deu uma sede de tudo, uma secura que começava na sua buceta faminta e se espraiava por seu corpo como as mãos firmes e ágeis de Marquinho. Ai, já não cabia em si, via-se extravasando os limites do corpo, ia saindo de si para devorar voraz aquele amor que conheceu no primeiro capítulo de uma novela cujo nome não lembra ao certo e até hoje procurava reconhecer nos galãs da interminável novela que se tornou a sua vida de procuras, que esperava enfim terminasse com um final feliz com um beijo na boca de muitos cheiros de Marquinho, o neguinho de muitos borogodós.

Não, Jiló, não havia a menor possibilidade de morrer hoje, justo hoje em que trazia no corpo uma sensação de roupa nova e sorria para a janela do ônibus não porque tinha na boca o batom vermelho como a paixão que ganhara de Marquinho e tinha cabelos revoltos dançando ao vento em um ritual que era pura alegria e vaidade de mulher que se aceita tal qual é, mas porque enfim encontrara ânimo para levantar do túmulo que elegera para morrer em vida, vendo novelas que não terminavam nunca, nunca, nunca. Porque enfim encontrava uma razão para desfrutar da liberdade que por anos a fio ansiara, para sair bêbada de vinho barato pela amplidão da noite à procura de uma pessoa que você jamais viu, mas ao lado da qual tem absoluta certeza de que sempre haverá estrelas no céu e uma sensação de travessias da ponte Rio—Niterói, de que a infância jamais acabará em seus olhos e todas as vezes que você chorar aparecerá um pai zeloso para te dizer que foi apenas um sonho ruim, logo vai passar.

Agora, não. Pelo menos hoje, não, Jiló. A morte sempre foi a lata com a qual praticou tiro ao alvo, mas hoje ninguém a acertaria. Muito menos se esse alguém era do mesmo bonde do Dudu. Do Dudu, não. Ele podia até ter se tornado o bambam-bam da Rocinha, mas, mesmo que fosse o dono da maior boca da cidade e tivesse 500 homens trabalhando para si, continuaria sendo o garotinho indefeso que só dormia com o dedo na boca e pegando nos peitos de uma das minas da Gangue da Zona Sul. Pelo menos para ela.

— Mas ele quer fazer bonito pros chefões do Comando — insistiu Jiló.

— Inventa outra, Jiló. Essa não colou, seu comédia.

Mas o Jiló continuou, o cara era realmente uma mala. Não podia saber que ela dava um passo em direção à felicidade, sempre entrava no seu caminho.

— Tu não sabe o que é um bandido querendo crescer dentro do crime, o cara é capaz de vender a própria mãe.

— Mas o Dudu nunca teve mãe pra vender.

— Até parece que tu não nasceu no mundo do crime. Quem olha assim pensa que tu não sabe o que é um bandido de cara pra chance de recuperar uma boca como a da Rocinha.

Na hora Valéria riu, chegou a dar gargalhadas. Mas agora, descendo do ônibus, começou a achar possível a história do Jiló. Havia um carro estacionado no botequim próximo ao presídio e ela se viu mais bela que uma rainha refletida no

NO CORAÇÃO DO COMANDO

vidro da janela, tinha certeza de que Marquinho ia gostar. Será mesmo?

— Depois não diga que eu não avisei — disse por fim Jiló, o comédia. A história que estava contando era possível?

Ainda não tinha ninguém na fila, percebeu Valéria orgulhosa, achando que Marquinho ia se sentir vaidoso ao saber que ela fora a primeira a chegar. Teve vontade de gritar o seu nome, o que faria se não estivesse com a carteira de Andréa. Mas hoje não queria denunciar sua presença para os quatro cantos do mundo. A felicidade da gente deixa os outros morrendo de inveja.

— É aqui a fila? — perguntou ela ao camelô que vendia frutas em frente ao Edgar Costa.

Ele fez que sim com a cabeça.

— Tua vida foi vendida por 30 mil — dissera Jiló.

Valéria olhou para a guarita bem na esquina da São João com a Marquês de Paraná, a no máximo 50 passos do portão. Lá em cima, ficava um PM. Se achava estranha toda a história do Jiló, com aquela figura ali em cima ela se tornava de todo impossível. Uma coisa é o esquema dos desipes, que negociam até o ar que se respira dentro daquelas paredes. Mas aqui do lado de fora era diferente. Tinha que ser.

A fila começou a crescer e, com ela, a ansiedade de Valéria. Não porque acreditasse em Jiló. Mas porque ver Marquinho se tornou uma urgência, uma fissura como as que teve ao gastar o batom que Marquinho lhe dera em sucessivos cigarros. A maquiagem ainda deu para retocar olhando nos óculos escuros de uma mulata que estava atrás dela, mas o cheiro ativo do perfume, intenso como a paixão ressuscitada de ontem para hoje em seu peito, esse não deu para resgatar. Odeia a mistura de suor com perfume.

— O que é que esses desipes pensam da gente? — bufou Valéria ao enxugar com o dorso da mão o suor que escorria pela testa e empapava a camisa de decotes provocantes. — Caralho, os caras já deviam ter aberto a porra desse portão.

Os ponteiros do relógio alcançaram as 10 horas, passaram rapidamente por elas, partiram na direção das 10 horas e 30 minutos. Foi aí que viu um carrão estacionar bem na sua frente, do qual viu um negro careca descer do lugar do motorista e dar a volta até a porta traseira do lado do carona, que abriu com um ar serviçal. De lá desceu uma mulher que tinha escrito na testa a sua condição social: mulher de traficante poderoso. Ambos foram para o primeiro lugar da fila, entrando na frente de Valéria.

— Como é que é, sua vagabunda? — disse Valéria, encrespando-se.

— Vagabunda é a puta que te pariu — respondeu a madame.

Valéria quicou, armando a guarda.

— Vem, mulher de cu vermelho.

O negão careca puxou a sua madama e com ela foi para quatro ou cinco lugares atrás de Valéria.

— Não sei como é que vocês deixa essa vagabunda entrar na frente de vocês! — gritou Valéria.

O agente penitenciário enfim abriu a porta principal da cadeia, com mais de meia hora de atraso. Se Valéria não esti-

NO CORAÇÃO DO COMANDO 153

vesse tão ansiosa em ver Marquinho, teria pelo menos desconfiado da possibilidade, aventada por Jiló, de que o desipe só iria abrir a porta da cadeia quando a madame chegasse e a provocasse, mostrando para todo mundo e principalmente para os matadores de Dudu que era ela a Valéria. A mulher que estava na bola.

— Calminha aí, mocinha — disse o agente penitenciário.
— Se você continuar fazendo barulho aqui na fila, não vou te deixar entrar.

Ela engoliu o sapo, muito embora todo o seu desejo fosse dizer vai à merda, cara. O que a gente não faz por amor?

— Tá bom, tá bom — bufou ela.

Valéria caminhou na direção da revista feminina. Parou na porta. Acendeu mais um cigarro. Tentou enxugar o suor da testa. Retocou o batom. Só pensava em Marquinho, precisava vê-lo antes que essa mistura de saudade, calor e tensão estragasse toda a sua produção.

Um dos matadores de Dudu, que ela conhecia de outros carnavais mas que em sua ansiedade não reconheceu, parou atrás dela e deu uma roçada na sua bunda.

— Gostosa — disse baixinho.

— Que que tu tá fazendo aqui, porra? — disse ela, como sempre destemperada.

— É que eu nunca vi um cu de alemoa — disse ele, no mesmo tom que ela.

— Porque tu não vai pra puta que o pariu?

— Ir eu até vou, mas primeiro eu vou encher teu cu de bala — disse ele, ainda mais alto.

O agente penitenciário apareceu de novo. Fazia cara de ofendido.

— Eu avisei, mocinha — disse o desipe. — Seu marido vai ficar sem visita hoje.

Valéria, que continuava sem acreditar que existia uma trama para matá-la, entrou em pânico com a possibilidade de passar mais uma semana sem ver o seu homem.

— Pelo amor de Deus, não faça isso, seu guarda — implorou.

— Eu avisei — disse ele, conduzindo-a até a porta de entrada da cadeia.

— É isso mesmo, seu guarda — gritou o matador de Dudu. — Alemoa não tem nada o que fazer em cadeia de Comando.

O agente fez cara de ofendido mais uma vez.

— E o senhor também. Por favor, queira me acompanhar.

O matador de Dudu ameaçou não ir.

— Daqui eu só saio na porrada.

— Olha que eu chamo o resto da guarda.

— Já é.

O agente sacou a arma e apontou para o matador. O matador riu com desdém e começou a caminhar em direção ao portão. Quando passou por Valéria, fez questão de pisar no pé dela.

— Filho da puta — gritou ela.

O guarda fechou a porta. Um carrão encostou na frente do presídio e Valéria se viu refletida em uma de suas janelas de vidro fumê. Não gostou nem um pouco da imagem descabelada com que se deparou. Ainda bem que não ia mais se encontrar com Marquinho. Ele ia se sentir ofendido se ela aparecesse assim, a pele oleosa de tanto suor, os cabelos desgrenhados, o batom borrado. Cadê a minha Vida?, ele ia querer saber.

A porta do carrão se abriu e o matador do Dudu entrou. Quando sentou, tirou uma pistola 9 mm e descarregou-a na direção de Valéria. Que tombou na calçada sem perceber que tudo aconteceu tal e qual o comédia do Jiló lhe contara pelo celular. Puta que pariu, será que o cara não percebe que essas balas vão estragar toda a produção que fez para ficar linda na hora de reencontrar o Marquinho, seu neguinho de muitos borogodós?

CAPÍTULO 17

Marquinho morreu junto com Valéria. Desde o momento em que os tiros ecoaram no seu cubículo, tudo o que fez estava totalmente destituído de sentimento, tudo o que executou não tinha emoção alguma. Tornou-se uma máquina cujo objetivo único era cobrar as muitas dívidas que a vida foi fazendo no seu nome. Àquela conta, que chegara num nível que não tinha mais como ser administrado, não se podia acrescentar nem mais um centavo.

Foi por essa razão que não chorou uma só lágrima por Valéria. Sabia exatamente aonde queria chegar e em nome desse objetivo traçou toda uma estratégia. O primeiro passo seria usar da sua moral com a facção e em conversas com as suas lideranças tentar convencê-las de que o reencontro com a Valéria não passava de uma pequena recaída, coisa à toa. Era só tesão, chefia. Como muitos machos do Setor B sentiam pela danada, que gostosa lá isso era, ninguém pode negar. Parecia um sacrilégio, mas esse seria o único caminho que poderia seguir para vingar o seu sangue.

— Acendo umas velas pra ela e fica tudo na moral — disse na conversa que teve com Zé Gordo, com quem discutiu a sua posição na facção depois do assassinato de Valéria.

O então todo-poderoso da facção aceitou as suas desculpas e voltou a se preocupar com a fuga que estava sendo armada. Zé Gordo era um dos principais interessados no pinote por duas razões. A primeira delas é que seus outros processos estavam começando a estourar na justiça e dentro de pouco tempo teria que voltar para uma cana dura como a do Setor B, onde os presos estavam longe de ter o mole do Edgar Costa. Também estava preocupado com as conseqüências de uma matança no morro do Quitungo, lá na Penha. Como chefão do Comando, mandou matar uns caras errados e estava sendo cobrado por isso.

— Vamos tratar do pinote? — sugeriu Zé Gordo.

Marquinho voltou a falar como o terceiro homem do Edgar Costa, já totalmente esquecido da morte de Valéria. Calculadamente, chegou a evitar levantar os detalhes da execução, como por exemplo as pessoas que participaram diretamente dela. Não precisava de pressa. Como um velho homem do Comando, tinha consciência de que não precisaria correr atrás das informações. A facção é como jacaré. Fica ali esperando até a presa vir passear na sua boca. Aí é só dar o bote e pronto, papo encerrado. Não tinha sido assim que acabara de acontecer com a Valéria? Não foi preciso ir até uma área do Terceiro para acabarem com a Vida — a sua Vida.

— Já falei com as donas que vão participar da suruba — disse Marquinho.

— Essas minas são responsa?

— Total.

NO CORAÇÃO DO COMANDO   159

— Elas já vieram aqui?

— Não, craro que não, chefia.

— Por que não, Neguinho?

Marquinho explicou a razão para sua decisão de chamar caras desconhecidas. Os desipes ficariam mal na foto de qualquer maneira, conhecendo a identidade delas ou não. Mas poderiam querer cobrar a conta da desmoralização pública a elas, o que em geral fazem com matança. Todo mundo sabe que, quando cai na ilegalidade, o ex-policial costuma se tornar matador. E o pessoal do extermínio é de correr atrás de suas presas. É justo o contrário dos verdadeiros bandidos.

— A gente devemos se preocupar em preservar a cara delas — concluiu Marquinho. — Se não, depois nós vai ficar sujo com as minas da térmicas. E isso tu não quer que aconteça com os irmãos que vier aqui pro Edgar Costa depois de nós, né não, chefia?

A fuga ficou marcada para o próximo plantão do funcionário — o mesmo que por coincidência vinha acompanhando a cadeia de Marquinho há pelo menos cinco anos, cruzando com ele primeiro no Milton Dias Moreira e agora no Edgar Costa. Não era o agente corrupto clássico, com um preço para cada uma das possíveis transações feitas com os bandidos, como celulares, drogas e armas. Tinha pavor em ouvir uma das expressões de que a malandragem mais gostava de jogar na cara dos guardas, que era dizer o sinhô não tá pudendo. Mas tinha um fraco por mulheres, particularmente por surubas.

— Tem certeza que a parada deve ser feita no prantão dele? — perguntou Zé Gordo.

— Tu bem sabe que os outros puliças vive fazendo leilão de nós — disse Marquinho, falando de um modo cada vez mais matemático, frio como um presunto algumas horas depois de uma desova. — Se aparecer alguém dando mais pela cabeça da gente, nosso prano já era.

Zé Gordo pediu para que batessem uma última rapa para todo o primeiro grupo e encerrassem a reunião. Marquinho cheirou a sua e voltou para o alojamento, onde esperou a oração e acendeu uma vela no santuário que armou para Valéria — a única foto que tinha dela, a calcinha que usara no hospital central e um cacho dos seus cabelos de henê. É óbvio que o santuário estava devidamente mocozado, para que não fosse surpreendido adorando sua deusa por um desses funkeiros abusados, que dificilmente pedem licença antes de entrar na comarca dos outros.

Veio então uma enorme vontade de chorar, à qual reagiu revendo o plano que traçara para a sua vingança. Estava sendo assim desde que a notícia chegara a sua comarca, da qual não saiu por ter certeza de quem seria o alvo dos disparos. Foi o jeito que encontrou para embarreirar as emoções. Sabia que nunca mais sentiria prazer em sua vida, que a partir de então seria movida por um único e cego objetivo, o de sair do seu prejuízo. Não sofrer é uma das vantagens de se estar morto.

O primeiro passo já tinha sido dado — que foi minimizar a importância daquela visita de Valéria perante o Comando. Agora tinha que fugir dali. Não apenas ganhar a rua. Precisava ganhar a sua liberdade de modo a ter as condições necessárias para cobrar cada uma das dívidas. Era essa a razão para ir no bonde que estava sendo preparado. A maneira mais fácil que tinha para destruir a facção seria se aliando a ela. Mais ou menos como a gente faz para se proteger de uma mordida de cobra. Usando o seu veneno como antídoto.

Seus pensamentos foram interrompidos pela chegada de um dos funkeiros de Zé Gordo.

— Chefia, quando é que tu vai aprender a chegar na comarca dos outros? — perguntou, irritado.

O funkeiro ignorou a reclamação de Marquinho. Outra vantagem da morte em vida é que até mesmo os grandes aborrecimentos — e para Marquinho era totalmente exasperador o despreparo que esses meninos tinham para viver em uma cadeia fechada — perdem a importância.

— O home tá querendo falar com tu.

— Como, se eu acabei de sair de lá da federação?

— Isso não é pobrema meu, Neguinho.

Marquinho seguiu atrás do funkeiro. Não queria dar papo para o cara, mas ficou interessado quando ele tocou no único assunto que poderia interessá-lo. O fim da sua Vida.

— O Dudu também não é fácil. Pra recuperar a boca dele, o cara não perdoou nem mesmo uma amiga de infância.

O funkeiro estava cheirado, precisava falar. Não importava se alguém o escutava. Era como uma interminável punheta tocada em público. Eles não querem gozar. Desejam apenas mostrar o pau. Usam a palavra como uma roupa da Cyclone, que é quase como um uniforme para a rapaziada jovem do Comando. Usam-na para se exibir.

— É mesmo, chefia? — disse Marquinho, dando corda.

Antes de chegar no alojamento do Zé Gordo, já estava sabendo de todas as pessoas que participaram da trama que culminou na morte de Valéria. Como já desconfiava, o comédia do Jiló tinha participado. Ele foi o homem para o qual Dudu ligou, reclamando da visita que ia perder. Conhecia-o da época em que namorava com a Valéria e, como sabia que Jiló era assim com Isaías do Borel, mandou a letra para ele.

— Não é tu que tá atrás da Valéria? — perguntara Dudu, segundo disse o funkeiro.

— Tu tem alguma dica? — respondera Jiló, ainda segundo o funkeiro.

Dudu contou então que Andréa lhe passaria a carteira, para que ela fosse ver o Marquinho. Dudu tinha ficado ofendido por duas razões. A primeira delas é que se sentiu traído por Marquinho, que sequer se dera ao trabalho de pedir aquele adianto, agindo não como a figura de paizão que assumira para a ala jovem do Comando e particularmente para ele, mas como um dos chefões arrogantes e egoístas contra os quais tanto se batia. A segunda (e mais importante) é que ele amava Andréa desde a época da Gangue da Zona Sul e, ciumento e possessivo, não suportava a idéia de passar uma visita sem ela.

— Chegou tua hora de mostrar se merece que a facção te garanta na Rocinha de novo — dissera Jiló do outro lado da linha.

— Topo qualquer parada.

Segundo o funkeiro, teria começado ali uma longa negociação, da qual participaram algumas das principais cabeças do Comando, como Zé Gordo, Isaías do Borel, Toinho da Providência e Risada. De Dudu, foi pedido para que seu bonde

NO CORAÇÃO DO COMANDO   163

fizesse o trabalho sujo em Valéria e que entrasse pra valer na guerra pelo Coroa, cujo controle há anos vem sendo disputado pelo pessoal da Mineira e do São Carlos, ou seja, pelo pessoal do Isaías e do Balbino. A ele seriam feitas as seguintes concessões: não precisaria participar da vaquinha dos funcionários que fariam vista grossa para os tiros, e a partir daquela data o Comando passaria a negociar a sua volta para a Rocinha, que na prática só era sua quando aparecia na rua algum presunto que pudesse ser depositado em sua ficha criminal e dessa forma tornar ainda mais longa a sua cadeia. Ele ainda tentou se livrar dos gerentes que o Comando já manda todas as vezes que participa de alguma invasão, que, tomado o morro, vão administrar alguns papéis das bocas que ele tiver. Mas logo lhe jogaram na cara que só estava ali porque a facção tinha matado o Dênis da Rocinha, que se dependesse dele jamais se tornaria um dos cinco donos do movimento na maior e mais estratégica favela do Rio de Janeiro. Dudu aceitou o argumento e começou a bolar a estratégia para pegar Valéria.

— É simples — gritara Jiló de lá. — Basta puxar uma briga com a dona, que ela compra o barulho na mesma hora.

Marquinho sabia disso. Essa foi uma das preocupações que demonstrou nas conversas que tiveram de uma grade para a outra, você precisa melhorar o teu comportamento, morena. Mas a Vida não era fácil. Ele sempre soube disso.

— Senta aí, Neguinho — disse Zé Gordo, quando ele chegou no alojamento.

Não queria se sentar, mas fez o que o presidente pediu. Precisou dizer para si mesmo que estava morto, que aquele relato não mudava em nada o seu modo de pensar. Era-lhe difícil convencer-se de que, quando muito, ele acrescentaria dois ou três nomes na cobrança do seu prejuízo. Saber como a morte de Valéria fora tramada deu-lhe uma vaga sensação de culpa e principalmente um enorme desejo de estar ao lado dela.

— Diga aí, chefia — disse Marquinho.

Viu Bira Presidente e de imediato soube o que iriam lhe propor. Parece que os mortos, por não terem emoção, pensam melhor. Não é à toa que as religiões do mundo estão cultuando-os o tempo inteiro. Os vivos, para continuarem vivos, precisam ouvir o que os mortos têm a dizer.

— A gente queremos fazer negócio com tu — disse Zé Gordo.

Marquinho sabia que ia ter que dividir a boca do morro da União com o Bira. Tentou imaginar o que o Comando estava pensando dele, mas, confirmando em definitivo a tese de que os mortos são mais inteligentes, lembrou-se de que a facção é uma espécie de pai severo. Mais ou menos como o seu pai foi na sua infância, exigindo-lhe não apenas que sacrificasse os melhores anos de sua vida cuidando de seus irmãos mais novos, mas que fizesse isso na maior alegria do mundo. Já o Comando queria que demonstrasse sua lealdade de todas as formas. Não importa se para isso tinha que abrir mão do sangue de um filho ou de uma mulher.

— Então bota as cartas na mesa — disse Marquinho.

A proposta feita foi exatamente a que imaginou. E ele aceitou sem pestanejar. Porque, como os mortos sempre estão muito na frente dos vivos, ele viu nela uma maneira de facilitar a execução da sua cobrança. O tempo se encarregaria de mostrar se estava com razão.

— Com qual das bocas eu fico? — perguntou.

— Como ela foi formada por tu, nós te dá o direito de escolher.

A favela tinha duas bocas — a do morro da União, lá em cima; e a do Viradouro, lá embaixo. A do Viradouro era mais lucrativa — principalmente no período dos seis meses que antecede o carnaval, já que, por causa dos ensaios da escola de samba da área, o movimento instalava uma estica na quadra. Mas estrategicamente não tinha nem comparação ficar lá em cima. De lá ficava muito mais fácil acabar com a raça do filho da puta do Bira Presidente. Que além de tudo acha que o sangue do filho de Marquinho não tinha preço. Que será que o bandido tava pensando? Que o seu filho era filho de uma hiena?

— Então, eu fico com a do morro da União. Mas ela é toda minha. A gente sabemos que ela não dá quase nada. Se eu for dar algum papel pra facção, vou quebrar no primeiro bote que os homi der na boca.

Bateram algumas rapas enquanto discutiam algumas questões, como por exemplo as armas e as munições que já tinham na boca. Mas só estavam fechando detalhes. O fundamental já estava combinado.

— Posso ir agora? — perguntou Marquinho.

— Mas logo agora, no melhor da festa?

Mais uma vez Marquinho recorreu à inteligência dos mortos, para não tornar suspeita a sua retirada.

— Chefia, eu tô ficando velho. E é eu que vou ter que controlar esses funkeiros na parada de amanhã.

Marquinho saiu do alojamento aclamado como o grande terceiro homem de uma cadeia de Comando. Capaz de resgatar as principais tradições da facção, que nasceu da necessidade de os presos terem paz, justiça e liberdade durante os chamados anos de chumbo.

— Rua já — gritaram os membros do primeiro grupo, todos eles presentes no alojamento do Zé Gordo para selar um acordo entre lideranças que seria importante para garantir a expansão dos negócios para o antigo Estado do Rio.

No dia seguinte, Marquinho deu as instruções para o coletivo. Passou o dia inteiro insistindo para que agissem normalmente, jogando as peladas de sempre, fumando os mesmos baseados, provocando os vizinhos de alojamento, sonhando com a liberdade como se ela fosse uma mulher pelada da *Playboy*, que eles podem até ver como é, mas com a qual jamais poderão conviver de verdade, trocando calorosas carícias com ela. Depois teve a oração e a marota conversa com o funcionário, seu velho chapa.

— E aí, chefia? — disse Marquinho quando o silêncio da noite começou a ficar pesado. — Tá fria a noite, não?

— Uma noite como essa só dá pra fazer duas coisas — disse o funcionário, dando a deixa que Marquinho queria.

— E se nós mandasse trazer umas muié da térmicas?

— Demorou.

— Posso usar o telefone?

— Demorou.

Vinte minutos depois, as minas entraram no presídio. Duas delas ficaram com os dois funcionários na portaria. As outras foram para o alojamento do primeiro grupo, onde fizeram mais cena do que sexo propriamente dito.

— Nunca pensei que fosse dispensar um mulherão desses — disse Marquinho depois de perceber que, por mais que tentasse, não conseguia ficar de pau duro.

O pó e a birita rolaram soltos. Foi a maneira que encontraram para segurar a ansiedade com a fuga iminente. A perspectiva de liberdade deixava inquieto até mesmo um morto-vivo como Marquinho, que o tempo todo ia até o pátio da prisão e procurava na imensidão do céu uma sensação parecida com a palavra rua. Os ponteiros do relógio se arrastavam como se ele estivesse na tranca, cada novo minuto igual ao que o precedera, denso, pegajoso, impregnado de expectativas que não se consumavam nunca.

— Última volta do ponteiro — gritou o ligação central, anunciando que daí a um minuto daria meia-noite e que todos deviam estar a postos.

Uma das minas que tinham ficado na portaria chegou no alojamento do primeiro grupo.

— Os caras chaparam — anunciou. — E agora?

Além dos dois funcionários na portaria, tinha o guarda na entrada principal do presídio. Bastava rendê-lo para que todos pudessem ganhar a liberdade. Desde que, é claro, não fizessem nenhuma besteira que chamasse a atenção dos outros seis funcionários de plantão. Esses outros funcionários estavam guardando os outros possíveis pontos de fuga, todos eles bem distantes do local pelo qual sairiam.

— Vocês, as minas, vai na frente — ordenou Marquinho, voltando a agir com a frieza de um terceiro homem. — Eu quero que vocês se comporte como se tivesse de pilequinho. O dinheiro do funcionaro vai na bolsa de uma de vocês. Mas tem que estar bem lá no fundo. Tu tem que achar difícil achar o dinheiro, entendeu?

As minas obedeceram a suas ordens e ele as seguiu de pertinho. O coração batia mais forte do que no dia em que dormiu com Valéria embaixo de uma das camas do Hospital Central. Percebeu então por que todo o seu amor pela Vida. Sentia-se livre nos seus braços. E para um velho cadeeiro como Marquinho não existe nada mais precioso do que a liberdade.

— Psiu — ordenou o funcionário da entrada principal. — Vocês querem que a cidade toda saiba que isso aqui é um puteiro?

As minas estacaram na frente dele, contendo o riso.

— Cadê a grana? — perguntou ele depois que elas baixaram o fogo.

A mina responsável pelo dinheiro começou a procurar o dinheiro dentro da bolsa.

— Ei, garota, vai passar a noite toda procurando essa merreca? — disse o funcionário, impaciente.

— Eu sei que ele tá aqui — respondeu a mina do dinheiro, tirando uma chave e um estojo de maquiagem. — Eu sei que bebi, mas não é possível que tenha sido tanto assim.

Todas começaram a rir, deixando o funcionário furioso.

— Se vocês não acabarem com essa sacanagem agorinha mesmo, vocês nunca mais entram nessa cadeia — ameaçou ele.

NO CORAÇÃO DO COMANDO

Elas continuaram rindo. Foi nessa hora que os dez primeiros fugitivos se aproximaram da entrada principal. Marquinho vinha puxando o bonde.

— Perdeu, irmão — disse Marquinho, enquadrando o funcionário com um revólver 38.

— Puta que pariu, que mancada — disse ele.

O funcionário foi amordaçado, despido e amarrado.

— Dá uma estocada nesse cara — sugeriu Dudu.

— Tu quer fugir ou fazer judaria? — perguntou Marquinho, puto da vida. A adrenalina da fuga deixara-o mais vivo do que nunca.

— Ih, Neguinho — disse Dudu, insolente. — Na moral, na moral, eu acho que esses anos todos de cadeia te deu uma bagagem sobre a vida aqui dentro. Mas agora nós tá indo lá pra fora. E lá fora tem uma guerra que não é como essas que a gente vemos na televisão, onde os inimigos podem contar os mortos e as mães se descabelam no enterro dos filhos. No morrão, não é por judaria que a gente temos que sumir com o corpo dos alemão ou dos verme. Quando nós queima um inimigo no pneu ou dá ele pra engordar o leão, nós só tá evitando aumentar a nossa ficha com o juiz. Porque ele e a torcida do Framengo sabe que no morro não se solta nem um peido, se nós, os donos, não diz que pode.

Marquinho apontou a arma para Dudu.

— Pois se tu não sumir das minhas vistas agorinha mesmo, eu vou é fazer muita judaria, mas é com tu. Eu passo os anos todos que me resta de vida apodrecendo aqui na cadeia, mas eu faço que nem vocês da ala jovem, corto tua orelha com a minha navalha, arranco os teus bagos com a unha, pico teu corpo todinho pra depois dá pros porcos comer. Tá ligado, irmãozinho? Basta tu dizer mais uma merda e babou tudo.

Ainda bem que o cara não pagou pra ver e caiu fora. Marquinho ainda esperou mais umas trinta pessoas saírem, mas percebeu que o pessoal, a garotada em particular, estava fazendo o maior alvoroço na cadeia. Foi por essa razão que ele, que inicialmente se propusera a agir como o comandante de um navio afundando, desistiu da idéia de ser o último a fugir. Como todos os mortos, previu o pior antes que a tragédia se consumasse. E ele é que não ia aumentar seu prejuízo só porque uns funkeiros metidos não conseguiam agir com cautela no momento mais importante de suas vidas. Pior do que isso, só uma broxada na frente de uma capa da *Playboy* na vida real. E Marquinho é que não ia broxar exatamente no momento em que uma paixão avassaladora como a que descobriu entre as pernas de Valéria se oferecia inteiramente para ele.

Quando chegou à avenida Marquês de Paraná, viu um ônibus para São Gonçalo, sua área. Estendeu a mão e por sorte o motorista parou. Quando entrou, começaram os tiros dentro do presídio e os gritos de pega, pega, não deixa esses filhos da puta fugir. Via em cada um desses fortuitos lances do acaso uma aprovação dos orixás para que cumprisse a promessa que fizera a Valéria na última noite que passaram juntos.

— Tem um cigarro aí, chefia? — perguntou para um passageiro ao lado.

— Ter eu tenho — disse o cara. — Mas aqui não pode fumar, não.

Marquinho olhou para o sujeito sem acreditar no que estava ouvindo. Realmente, fazia muito tempo que não percorria as paixões da cidade. Na última vez que isso ocorrera, o Rio de Janeiro era uma cidade livre. E a primeira pessoa a fumar um cigarrinho dentro do ônibus era o próprio motorista.

CAPÍTULO 18

A liberdade é uma mulher mais quente que uma capa da *Playboy* e obviamente um homem como Marquinho iria se apaixonar por ela, aproveitando cada minuto para sorver suas delícias. Mas quando ele mais se sentia vivo e mais planos fazia para um futuro ao lado dos filhos que não pôde criar e dos netos que até então não conhecera, eis que ele acorda com o corpo todo suado e a respiração alterada. Tinha acabado de sonhar com a sua Iemanjá.

— Quer dizer que tu vai deixar a minha morte no prejuízo? — perguntou ela. — Tu esqueceu que nós tinha um pacto, bandido?

O pior é que sim, pensou ele envergonhado, enquanto tomava um copo de leite na cozinha. Já estava pensando como o dono de uma boca-de-fumo, preocupado com armas, munições e malhação da droga. Acima de tudo, estava gostando do poder que o dinheiro dá, dos chocolates que sempre tem quando os seus netos se aproximam, dos vestidos amarelos que embelezam as sobrinhas recém-saídas da adolescência, das noites de sexo com as mulheres que gostam do bem-bom proporcionado pelo tráfico.

— Tu tá sendo fiel, bandido? — perguntou Valéria no mesmo sonho.

O pior é que não, admitiu enquanto olhava para a noite pela janela do barraco, onde as últimas estrelas pareciam um colar de pérolas no busto de uma dona muito da oferecida.

— Pai, o sinhô acordado a uma hora dessas? — perguntou Quinho, o filho que levara os tiros de Bira Presidente.

— Sonhei com a Vida — disse Marquinho, ainda atordoado.

— Sonho ou pesadelo?

As balas que Quinho levara ainda estavam no seu corpo. A cicatriz também estava lá, mais feia que a fome. O menino, na verdade um homem que até netos já tinha lhe dado, estava tentando levar sua vida adiante. Estava curtindo a presença do pai por perto, que não tivera ao longo dos seus 28 anos de vida — praticamente o mesmo tempo de cadeia de Marquinho. Mas essa felicidade doméstica não podia ser mais importante que a sua honra. Fora graças a ela que sobreviveu esses anos todos. Não podia perdê-la de jeito algum. Podia perder a vida; ela, não. Esse era o legado que tinha a deixar para o garoto. Essa herança faria dele, seu filho, um homem muito mais rico do que a sua boca.

— Nem uma coisa nem outra. Eu recebi foi uma visita da Vida. Não faltou nem parlatório.

Quinho riu. O garoto andava rindo à toa desde que Marquinho Neguinho voltara para casa, trazendo junto consigo

NO CORAÇÃO DO COMANDO   175

a imagem de super-herói que todo filho projeta para o pai. Foi com uma dor no coração que anunciou a chegada da serpente ao paraíso.

— Vou dar um tempo do morro — disse Marquinho.

— Como? — surpreendeu-se o filho.

— Chegou a hora de eu fazer minhas cobranças.

— Não tô te entendendo, pai.

— Pois então eu vou explicar.

Marquinho falou então dos planos que o mantiveram vivo desde que ouviu os tiros que deram em Valéria.

— O sinhô tá louco? — disse Quinho no fim da explanação do pai.

— Eu não tô pedindo opinião. Eu só tô comunicando uma decisão.

Marquinho sabia que era pai só de sangue. Que na verdade o menino tinha sido criado pela própria vida, quando muito pelo avô, que, ele sim, pôde dar os exemplos, mostrar o que é pelo certo e o que é pelo errado. Com o pai mesmo, teve, é verdade, alguns dias inesquecíveis nos velhos tempos da Ilha Grande, onde as visitas viravam piqueniques com direito a Ki-suco de uva, corridas atrás de uma bola de couro oficial pelas areias da praia e, o melhor de tudo, mergulhos do melhor trampolim do mundo, os ombros musculosos de Marquinho Neguinho, seu pai. Depois disso, houve esporádicas visitas nos outros presídios pelos quais passou, interrompidas praticamente em definitivo quando o pessoal do Bira tomou a boca, já que sua família, interesseira toda vida, só lembrava dele quando estava com os bolsos barrufados de dinheiro.

— Se tu quer ficar, é com tu mesmo. Mas eu tô avisando pra tu ficar na atividade. Porque com certeza o Comando vem cobrar os estragos que eu vou fazer.

— O sinhô não tá entendendo, pai.

— Não tô entendendo o quê, Quinho? — perguntou Marquinho, irritado.

— Eu não quero que o sinhô morra.

— Sinto muito, filho. Aquela mulher deu a vida por mim.

— Pai, eu passei quase trinta anos esperando estar junto do sinhô.

— Se tu passou esse tempo, acho que tu pode viver o resto da tua vida assim.

— Mas eu não quero, pai.

— Eu também não, filho. Mas posso ser sincero? Eu queria que tu ficasse orgulhoso por saber que teve um pai com palavra.

— Teve?

— Isso mesmo, filho. Eu não existo mais desde o dia que acabaram com a Vida.

Quinho pegou sua arma e foi até a boca. Marquinho fez um pouco de hora na frente da televisão e quando o sol já ia alto lá no céu pegou o celular e deu o telefonema mais difícil de sua vida.

— Balbino? — perguntou Marquinho quando o tio de Valéria atendeu seu celular, lá em Bangu II. — Aqui quem tá falando é o Marquinho Neguinho, sabe quem é eu?

— Sei — respondeu o líder do Terceiro. — O cara que mandou matar a minha sobrinha.

Marquinho se surpreendeu com a acusação, mas ela fez com que voltasse a se sentir morto novamente. Pois foi com a sabe-

NO CORAÇÃO DO COMANDO 177

doria e a frieza dos mortos que deu a Balbino a única resposta que ele poderia aceitar.

— Chefia, tu sabe que minha cabeça tá pedidona, mas só pra tu ter certeza de que eu não tô de caô, eu vou sair da minha área agora de manhã cedo, mesmo correndo o risco de ser pego pelos home e eu vou até a tua boca no Larguinho. Se tu quer mandar alguém me matar lá, eu só peço uma coisa, chefia. É pra tu depois pegar meu corpo e cremar junto com o da Valéria, pois nós tinha um pacto de amor e é por causo dele que eu tô falando com tu agora.

— Se tu for homem de ir lá no Larguinho agora, eu acredito que não foi tu que mandou matar minha sobrinha.

— Quando eu chegar lá, eu procuro quem?

— Procura o Pracinha. Ele vai tá esperando tu no orelhão na entrada da favela. Mas tu tem que ir sozinho. Se tu chegar lá com mais alguém, a bala vai comer.

— Já é.

Marquinho mandou um moleque da boca chamar um táxi no asfalto e partiu em direção ao Larguinho. Era a primeira vez que saía de sua área desde a sua fuga e tão logo chegou na Alameda Boa Ventura começou a ter uma sensação que não experimentava desde os tempos de menino, quando ia no escuro do quintal apanhar as roupas no varal em noites de chuva. Era também a primeira vez que ficava sem uma arma na cintura e a falta dela fazia com que se sentisse nu — nu no meio da multidão. Mas tinha muita coisa em jogo naquele momento. Tinha que correr o risco. Só cumpriria sua parte no pacto com Valéria se pudesse contar com a ajuda de Balbino.

— Diga aí, chefia — disse ele para Pracinha, que o esperava no local indicado por Balbino.

Pracinha, que ele conhecia desde a Ilha Grande, era uma das maiores lendas do Terceiro Comando, no qual entrou tão-somente porque não queria se mudar da Terceira Galeria, palco da guerra travada entre as duas então nascentes facções. Porém, tornou-se um dos maiores guerreiros do Terceiro. Foi para o Larguinho depois de sua cadeia não exatamente por ser um bom gerente, mas por estar disposto a entrar em qualquer bonde que tenha como objetivo tomar um morro do Comando Vermelho. Adora trocar tiros com a escopeta da qual jamais se afasta. Mesmo para ir na esquina da sua casa, como era o caso agora.

— Há quanto tempo — disse Pracinha.

Os dois deram um longo abraço. Quando se afastaram, Pracinha começou a revistar o amigo de velhos carnavais.

— Desculpe, mas no crime a gente não pode dar mole nem pra mãe da gente — acrescentou ele.

Depois de se certificar de que Marquinho estava desarmado, Pracinha fez um gesto de limpeza para dois caras postados ali perto e em seguida entraram na favela.

— Essa guerra de facção é fogo — disse Pracinha, melancólico. Parecia lembrar das ensolaradas tardes da Ilha Grande, onde os dois formavam um fogoso meio-de-campo no time da penitenciária. Mas aí veio a guerra e nunca mais puderam trocar passes verticais em alta velocidade, como gostavam de fazer. Jamais deixaram de se falar, no entanto. Foram vários os esporros que ambos tomaram porque insistiam em conversar nas poucas, porém marcantes, ocasiões em que se cruzaram

NO CORAÇÃO DO COMANDO

no hospital ou no fórum. E nessas ocasiões sempre disseram que um dia ainda iam bater uma bola na rua. — Se não fosse ela, acho que nós terminava jogando junto no Framengo.

Alguns minutos depois, Marquinho estava participando de tensas negociações com Balbino por intermédio do sofisticado sistema de telecomunicações com o qual o tio de Valéria monitorava sua favela. Pracinha assistiu a tudo como um mero figurante.

— O que é que tu tem a propor? — perguntou Balbino.

— Como eu disse pra tu, tenho um pacto com tua sobrinha. E depois de tudo que aquela mulher fez, é pra mim fazer a minha parte. O mais rápido possível.

— Dá pra ser direto e reto?

Marquinho, sempre falando com a sabedoria e a frieza dos mortos, começou pelo que tinha a oferecer. Que era uma das coisas mais atraentes na guerra por pontos de droga da atualidade, que é a possibilidade de expandir os negócios para o antigo Estado do Rio.

— A minha boca, mais a base pra tomar a boca do Viradouro, que fica bem embaixo da minha, é moleza invadir de cima pra baixo.

— Bandido, isso tá parecendo cilada do Comando. Tu não quer que eu acredite que tu atravessou a poça pra me dar duas bocas de mão beijada.

— Quem foi que disse que era de mão beijada, Balbino?

— Então, o que é que tu quer?

— O corpo da Valéria.

— Como é que é?

— É isso mesmo que tu ouviu, chefia.

— Não me diz que tu vai querer comer a menina depois de morta?

— Não, Balbino. É o pacto. Eu já falei dele. Nós jurou que ia ser cremado e depois misturar os pós.

— Tu quer morrer também?

— Não, chefia. Eu já morri faz tempo. Morri junto com a tua sobrinha. E se não me enterraram até agora é porque é pra mim vingar o sangue dela. Com o perdão de estar me metendo em um assunto que não é meu, tu não vai fazer o mesmo com o sangue da tua família?

— Eu tava pensando em acabar com a tua raça.

— Se tu misturar os pós da gente, pode fazer na hora que tu quiser.

— Tu tá cheio de disposição mesmo, bandido.

— Deus não premeia os covarde.

— Tu agora falou bonito que nem um pastor.

— Pois eu aprendi isso foi com a tua sobrinha.

— Aquela menina era estudada. Tinha o ginasial compreto. Pena que era meio maluca.

Marquinho sabia que, para a família dela, uma de suas maiores maluquices foi ter se apaixonado por ele, que era preto, macumbeiro e acima de tudo um cu vermelho. Mas vendo a situação com os olhos do Balbino, meter-se com ele realmente tinha sido uma loucura. Uma loucura da qual a gente só é capaz quando está apaixonada. Assim como aconteceu com ele.

— Esse negócio de amar uma dona deixa qualquer um pancadão.

— Só estando muito pancadão mesmo pra trocar duas bocas por um cadáver.

NO CORAÇÃO DO COMANDO

Pracinha e Balbino esbaldaram-se de rir com a piada do chefão do São Carlos. Mas Marquinho não se alterou.

— Não é só duas bocas que eu tô dando no corpo da Valéria — disse ele depois que os dois enfim silenciaram. — Tô dando também meus trinta anos de história no Comando e por causo dela eu sei que vou arrumar 10 mil inimigos dentro da facção. E tu sabe o que é que o Comando faz com os inimigos dele.

— Neguinho, tu finalmente saiu da novela das oito e entrou num filme que eu gosto, que é fazer guerra com o Comando.

— Isso não é guerra de facção, Balbino. Esse é um barulho só meu.

— Neguinho, tu não pode esquecer que a menina é minha família. A menina não tinha nada o que fazer numa cadeia de Comando, mas mesmo assim é minha família.

— Balbino, se tu entrar nessa história isso vai ser uma carnificina como a gente nunca vimos.

— Mas eu tenho que dar uma resposta pro Comando. Tu mesmo disse que era pra mim cobrar o sangue da minha família.

— Se tu quer, eu posso ir apresentar a conta pra eles. E eles nunca mais vão ousar tocar em um fio de cabelo da visita dos outros.

— Tu tem algum prano?

— É só tu pagar o meu preço.

— O que é que tu quer mais, além do corpo da Valéria?

Marquinho fez as suas exigências, que eram muito poucas em relação ao que tinha para dar ao Terceiro Comando.

— A primeira coisa que eu quero é que ninguém toque na minha família lá em São Gonçalo. Outra coisa que eu quero é que o Terceiro dê a gerência da boca pro meu filho, o Quinho. E pra terminar é pra mim dar o tiro no filho da puta do Bira. Porque a cabeça daquele filho da puta é a primeira das muitas cobranças que eu tô começando a fazer a partir de agora.

Depois de estourar os miolos de Bira Presidente, explicou em seguida, ele ficaria na sua boca até a primeira reunião do coletivo do Edgar Costa, realizada no pátio da cadeia às cinco e meia da tarde uma sexta-feira sim, a outra não. Nesse dia, subiria para a cobertura de um prédio que tinha em frente ao presídio e de lá ia sentar o dedo em direção aos filhos da puta do Comando, pouco se importando se suas balas acertariam chefões ou caidinhos. Já se daria por satisfeito com essa primeira cobrança, mas, se sobrevivesse a ela, iria para uma porta de cadeia de Comando e usaria o mesmo fuzil para derrubar o maior número de pessoas na fila de visitas. Teria o maior prazer em fazer todas essas judarias, pois, por mais violentas e injustas que parecessem ser, via nelas a única maneira de levar a paz para as cadeias do Rio.

— Depois desse dia, os chefões do Comando vão pensar direitinho antes de mandar matar qualquer pessoa — disse ele. — Pode ter certeza disso.

— Por que é que tu não vira Terceiro? — perguntou Balbino.

— Porque eu vou virar pó. É só vocês me dá o corpo da Vida.

Meia hora depois, Marquinho estava saindo do Larguinho com a promessa de que, se fizesse tudo o que prometera, o seu corpo seria cremado junto com o de Valéria. Para ele, pouco importava se cairia na guerra com Bira ou durante a fuga do prédio em frente ao Edgar Costa ou da fila de visita de alguma outra cadeia controlada pelo Comando. Se por milagre sobrevivesse a essas cobranças, voltaria o seu ódio contra a VEP, o juiz que o condenou à revelia quando ele ainda era um menor, o delegado travesti e a sociedade filha da puta, que fez vista grossa para todos os crimes que praticaram contra ele e foi implacável com todos os erros que cometeu ao longo de sua vida bandida. E assim seria até que as suas cinzas fossem misturadas às de Valéria e ninguém nunca mais pudesse separar os dois.

Fim
Rio de Janeiro, 22 de julho a 22 de agosto de 2001

Glossário

12: Artigo do Código Penal que enquadra os crimes ligados ao tráfico de drogas.

129: Artigo do Código Penal que enquadra os crimes de agressão.

155: Artigo do Código Penal no qual se enquadram arrombamentos, descuidos e outros tipos de assalto que não implicam o uso de armas.

157: Artigo do Código Penal no qual se enquadra o assalto a mão armada.

Arrego: Propina.

Arriar o jogo: Bancar o jogo.

Atravessar: Transferir presos.

Bagulhão: Rogério Lengruber. Também conhecido como o Marechal. É hoje o líder mais cultuado na história da facção. As iniciais de seu nome estão pichadas em todas as cadeias do Comando e em muitas favelas controladas pela facção. É o único nome do comando citado na oração.

Bichos: Matadores.

Bico cuspindo fogo: Metralhadora atirando.

Blindão: Trata-se possivelmente de uma corruptela de *bridão*, devido ao sentido que tem a expressão, o de ir pelo lado certo, no bom caminho, bem guiado.

Boi: Vaso sanitário.

Bomba-relógio: Homossexual que introduz drogas ou armas na cadeia, trazendo-as no ânus.

Bonde: Grupo armado.

Brinquedo: Nome que os presos dão aos celulares.

Cachorra: Mulher. Não chega a ser puta, mas tem sentido pejorativo.

Cafofo: Palavra com vários significados. Pode ser casa. Também faz cafofo a mulher que introduz drogas ou armas na cadeia trazendo-as na vagina. No caso em questão, é um esconderijo.

Caxanga: Casa.

Caxangar: Arrombar casas.

Churrear: Aproximar-se da vítima e meter a mão em uma bolsa ou uma carteira sem que ela perceba, o que acontece principalmente dentro de um ônibus, um trem, qualquer lugar onde tenha aglomeração de pessoas.

Coletivo: Grupo de presos. Há quem veja no seu uso uma herança da convivência entre presos políticos e presos comuns na época da Ilha Grande.

Comarca: Cama, em geral um beliche de concreto, dentro de um alojamento.

Confere: Espécie de lista de chamada feita duas vezes ao dia pelos agentes penitenciários, com a qual se certificam de que não houve nenhuma fuga.

Correspondentes: Nome que os presos dão às namoradas que arrumam dentro do próprio sistema penitenciário.

Dar uma carrinhada: Mandar para outra cadeia. O carrinho é um dos meios pelos quais a direção do sistema mina o surgimento de liderança na cadeia. Também é usado para chantagens ou como fonte de corrupção, como no caso em questão.

NO CORAÇÃO DO COMANDO

Desipe: Sigla que identifica o sistema penitenciário carioca. Para os presos, todo funcionário é um desipe ou um SOE.

Edgar Costa: Penitenciária localizada em Niterói, na Grande Rio de Janeiro.

Empeleitada: Corruptela de empreitada.

Escotar: Corruptela de escoltar. Entrou no jargão da malandragem via escolta policial. Parte da proibição de trânsito entre favelas de comandos diferentes se deve ao receio de que mapeiem (ou seja, escotem) as suas ruas e vielas.

Estar na bola: Estar marcado para morrer.

Estoque: Objeto cortante improvisado pelos presos.

Faxina: Preso que trabalha para o sistema penitenciário. Cada três dias trabalhados dentro de uma cadeia corresponde a um dia de redução na pena do preso.

Fazer um pris: Chegar por trás da vítima, meter a ponta dos dedos no bolso que está com o dinheiro e com a outra mão empurrar a pessoa para que ela caia e o bandido tenha tempo de fugir.

Fechar a cadeia: Regressão do regime semi-aberto para o fechado.

Frei Caneca: Complexo de cinco cadeias na região central do Rio de Janeiro.

Garoto: Homossexual.

Isaías do Borel: Atual chefão do Comando Vermelho, preso em Bangu III, com Aids. Na época em que se passou essa cena, estava em plena ascensão dentro da facção.

Judaria: Maldade, perversão. Por incrível que pareça, os bandidos são anti-semitas. Existe até um funk do Proibidão (ver adiante) cujo título é "O Judeu".

Lasquinê: Artimanha usada pelos prisioneiros para ver mulher nua. O truque consiste em pedir para que a correspondente faça um strip de uma posição tal que os outros bandidos possam vê-la. Cuidado para não confundir com marear, que é desejar a mulher alheia sem uma combinação prévia entre os bandidos.

Maçarico: Arma de cano longo.

Matuto: Vendedor atacadista de drogas. Um caso exemplar no Rio de Janeiro é o de Fernandinho Beira-Mar.

Mineira: O morro da Mineira, que é dominado por Jiló e Nai, fica a uma rua de distância da Coroa, motivo pelo qual é permanentemente disputado pelas duas facções, que há anos estão se alternando no seu controle.

Moca: Pedaço de madeira usado como um cacete.

Napa: Narina. A expressão "enfiar a napa" é muito usada por consumidores de cocaína, mesmo os de classe média.

Pagar o almoço: Servir o almoço. Os presos sempre dizem pagar no lugar de servir, qualquer que seja a refeição.

Parlatório: Nome pelo qual são conhecidas as visitas íntimas.

Passar o carro: Executar.

Paz, justiça e liberdade: Lema da facção. Foi criado na Ilha Grande. *Paz* veio da necessidade de os presos viverem tranqüilos, sem serem humilhados pelos agentes penitenciários e principalmente pelos integrantes da Falange Jacaré. *Justiça* porque a bandidagem ficava apodrecendo na Ilha Grande, para onde os presos iam não para cumprir uma pena, mas para que a sociedade se esquecesse deles. E *Liberdade*, ah, isso qualquer um sabe; em que outra coisa um preso pensaria?

Peça: Pistola, ou qualquer arma de fogo de cano curto.

Peidar: Ficar com medo; desistir; dar para trás.

Primeiro grupo: As dez pessoas mais importantes do grupo de cerca de vinte pessoas que fazem parte da federação.

Proibidão: Série de CDs cujas músicas fazem apologia ao Comando Vermelho.

Quebra-peça: Bandidinho. A expressão vem da prática dos trombadinhas, que arrancavam objetos de uso pessoal de suas vítimas e saíam correndo.

NO CORAÇÃO DO COMANDO 189

Quiligue: Pegar objetos sem autorização do dono. Em alguns casos, o termo é usado na acepção de roubar.

Robôs: Quem assume o crime cometido por outrem. Robô também é aquele que apenas assina o crime cometido por terceiros, assumindo sua autoria e respondendo na Justiça por ele.

Seguro: Área de uma cadeia na qual o preso fica fora do coletivo. Torna-se responsabilidade do Estado protegê-lo dos outros presos.

Simpático: Puxa-saco.

SOE: Serviço de Operações Especiais, uma espécie de guarda de elite do sistema penitenciário carioca. Os presos costumam usar a expressão SOE para todos os tipos de agentes penitenciários.

Talavera Bruce: Penitenciária feminina localizada em Bangu, Zona Oeste do Rio de Janeiro.

Terceiro homem: Literalmente, o terceiro homem na hierarquia da federação, imediatamente depois do presidente e do vice-presidente.

Teresa: Corda, em geral feita de lençóis amarrados uns aos outros, por meio da qual os presos mandam objetos ou recados de uma cela para outra. Também muito usada em fugas, quando são amarradas nas grades e servem para que os presos desçam de grandes alturas pendurando-se nelas.

Toque: Carta trocada entre bandidos, sejam eles em liberdade ou presos. Também chamado de catatau.

Trunfeta: Divisa, patente. Posição de destaque no cenário do crime.

VEP: Vara de Execuções Penais.

Verme: Expressão de múltiplos sentidos. O mais importante deles é policial.

X-9: Dedo-duro.

Seja um Leitor Preferencial Record
e receba informações sobre nossos lançamentos.
Escreva para
RP Record
Caixa Postal 23.052
Rio de Janeiro, RJ – CEP 20922-970
dando seu nome e endereço
e tenha acesso a nossas ofertas especiais.

Válido somente no Brasil.

Ou visite a nossa *home page*:
http://www.record.com.br